東京てくてく
すたこら散歩

伊藤まさこ

文藝春秋

CONTENTS

どきどきしたり
うきうきしたり
おいしかったり
たのしかったり。

そんな私の
てくてく、すたこら、東京歩き。

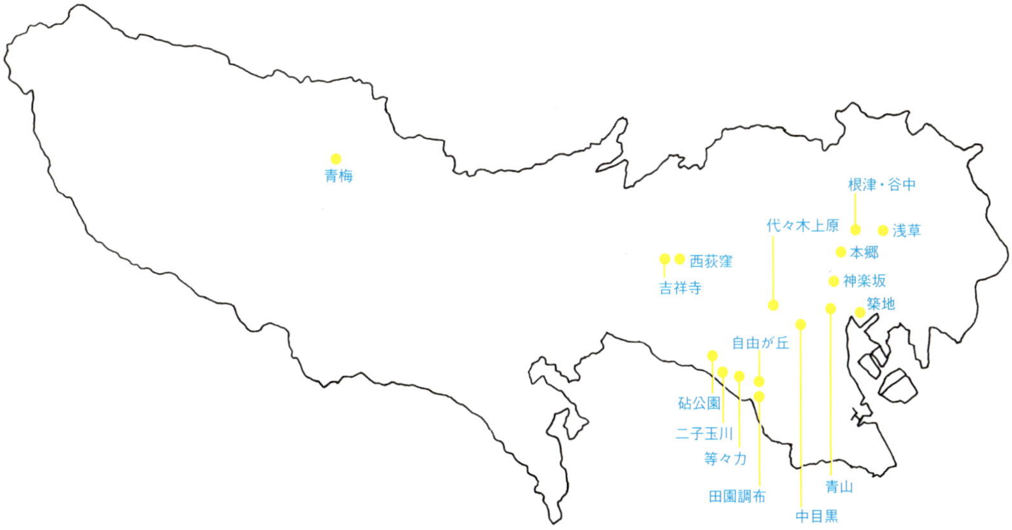
青梅
根津・谷中
代々木上原
浅草
本郷
西荻窪
吉祥寺
神楽坂
築地
自由が丘
砧公園
二子玉川
等々力
田園調布
青山
中目黒

吉祥寺

はじまりはそら豆から

「今日はフェブに行こうかな」
晴れた日に、ぽっかりと予定があいたなら
そんなことを思います。

イイノ ナホ作品展「水と空のあいだ」
おさだ ゆかり「北欧雑貨をめぐる旅」
アトリエ ニキティキ「Kurt Naef」展

2006年の展示の内容の一部を見てもお分かりのとおり、
どこかほっとしてかわいい企画の数々。
吉祥寺は世田谷のわが家からは少し遠い場所ですが、
フェブの企画が私の足をこの街に向かせてくれるような気がしてなりません。

フェブとはフランス語でそら豆という意味。
アーモンドクリームを入れたパイ生地にフェブをひとつ入れて焼き、
切り分けたピースの中にフェブ（今ではそら豆ではなく、小さな陶器のお人形を入れて焼くそう）
が入っていたら、
その人は一日王様かお姫様になれる、という
おいしくて楽しいフランスの伝統菓子（ガレット・デ・ロア）があるのだそう。

「フェブがあたった人のように、ギャラリーを訪れた人が
一日、わくわくした気持ちになってくれたら」
そんな思いを込めてつけられた名前なのだとか。

フェブで展示を見て、それからパンを買って、お茶を飲みに行こう。
そんな街歩きのきっかけになるギャラリー、
フェブから始まる
吉祥寺さんぽが私のお気に入りなのです。

biscuits
de
chalais
パリ名店街展
COMMERCES DE PARIS

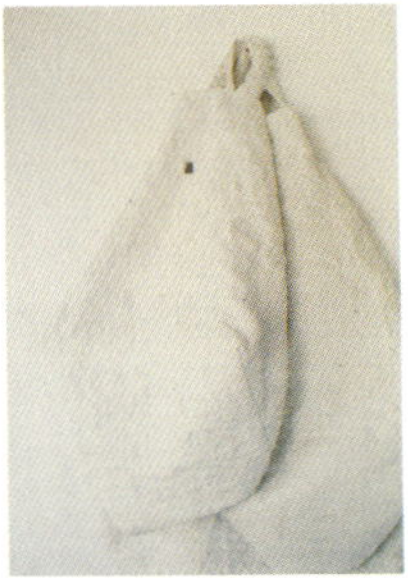

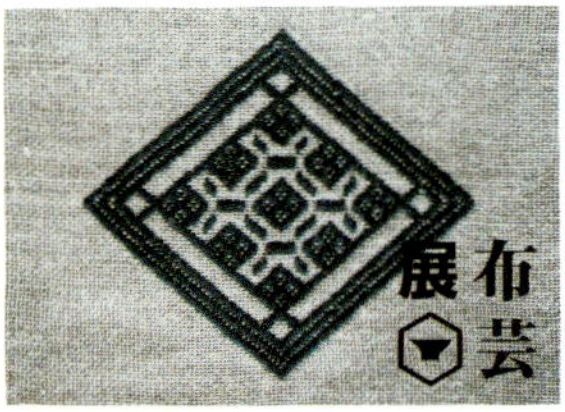
布芸展

PURPLE
MUSGO
REAL
WHITE
GENELIAPAU
DEW DE BABY
TRAVAUX ET MODE 山本祐布子 スカート展
ORANGE
BEIGE
FELT

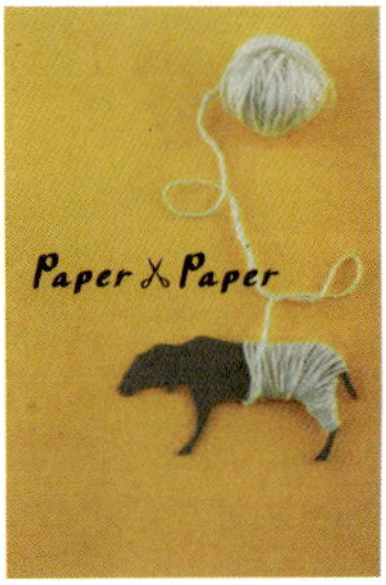
Paper X Paper

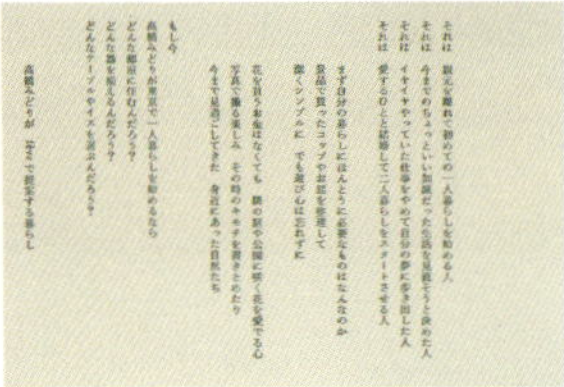
それは　親元を離れて初めての一人暮らしを始める人
それは　今までのちょっといい加減だった生活を見直そうと決めた人
それは　イヤイヤやっていた仕事をやめて自分の夢に歩き出した人
それは　愛するひとと結婚して二人暮らしをスタートさせる人
まず自分の暮らしにほんとうに必要なものはなんなのか
景品で貰ったコップやお皿を整理して
潔くシンプルに　でも遊び心は忘れずに
花を買うお金はなくても　隣の家や公園に咲く花を愛でる心
写真で撮る楽しみ　その時のキモチを書きとめたり
今まで見過ごしてきた　身近にあった自然たち
もし今
高橋みどりが東京で一人暮らしを始めるなら
どんな部屋に住むんだろう？
どんな器を揃えるんだろう？
どんなテーブルやイスを選ぶんだろう？
高橋みどりが　fève で提案する暮らし

Le
Bol 2e

sleep

FLOWER BOOK
RARI YOSHIO EXHIBITION
2005 4/9 SAT – 4/17 SUN

松林誠展
「オリオン」

ダンディゾン

フェブを出たとたん、辺り一帯に漂うおいしそうな匂い。
鼻をクンクンさせて向かう先は、同じ建物の地階にあるパン屋さん。
いつもは料理を考えてからパン選び、の私ですが
ダンディゾンに来た日は別。
パンが主役の特別メニューを考えます。

手入れと掃除がいき届いた店内。
きびきびと働く姿。いちいち気持ちがいい。

お行儀よく並ぶパンたち。
ダンディゾンという名前には
「10年後もおいしく、そして安心して食べられるパンを」
との願いが込められているのだとか。

ぱく

お茶とお菓子　横尾

「一人でも入りやすいお店にしたかった」と言うのは、
この店の店主、横尾さん。
アンティークの家具、コーナーにちょこんと置かれたくまちゃん。
置いてある物がほんと、かわいいのです。
本を読んだり、編み物したり、絵を描いたり。
時間が経つのも忘れそう。名付けて「横尾時間」。

前髪がキュートな
横尾ママ

ダンディゾンから歩いてすぐ。
白い窓枠が目印です。

ひく

まわす

シュンシュンとお湯が沸く後ろでは、
お茶の準備？
それとも食事の準備？

急須の把手に
毛糸の帽子

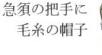

梅の花満開の井の頭公園。
お休みの日とあって家族連れでわいわい賑やか。

絵本の専門店、トムズボックス。
大人も楽しめる絵本屋さん、というかんじ。

A.K Labo

フレジエとモカロール。
どちらかひとつに選べなくて
結局ふたつ「いただきます」。

ある時はマカロンを。またある時はガレットを。
友だちの吉祥寺土産にもらうことが多かった
A.K Labo のお菓子。
お店を一度訪れると「だれかにあげたい」というその気持ち、
よーく分かります。
だって、独りじめしておくのがもったいないくらいおいしそうだもの。
あの人とこの人と……わたす相手の顔を思い浮かべながら
あれこれ選ぶ時間もまた楽しい。

フランスの小さな町、ポワティエで
お菓子修行をしたという
店主のあかねさん。
お菓子に向かう目が真剣。

この日はバッグの展示が。
1、2週間ごとに
展示を変えていくという、
日のあたる2階。

桜の花が
ほっとなごみます。

さあ、あなたの好きな物はどれ？
年齢、性別関係なく欲しい物が必ず見つかる
数少ないお店、だと思う。

好きな物が
私と不思議にシンクロする
小林さん。

元はキャバレーだったという広い店内に
食器、家具、服、洋書、バスグッズに文房具、
ありとあらゆる物がたーくさん。
店主、小林さんの「男子の目」で選んだ雑貨たちは
甘すぎず、そっけなさすぎず。
そのバランスがとってもいいのです。

さんぽの収穫

街歩きに欠かせないのが「帰ってからのお楽しみ」。
おいしいものと、かわいいもの。
そこでしか手に入らないもの。
あれやこれやとお買い物して大満足で帰ります。
今日も楽しかったね。

この日のヒットはダンディゾンで買った、
金柑ジャムが入ったパン。
その季節だけのとっておき。

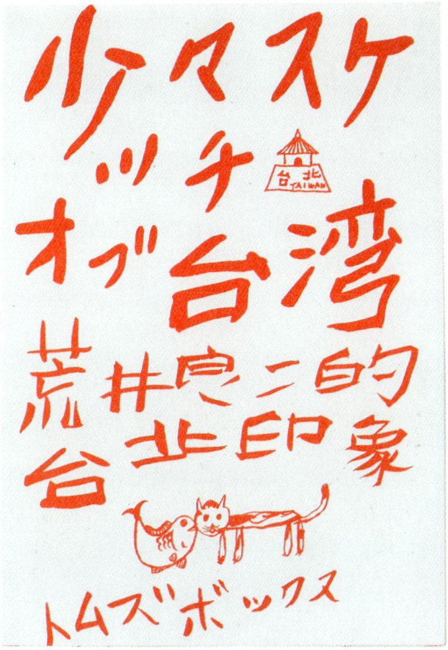

『ユックリとジョジョニ』という絵本で
荒井良二さんファンに。
この本はトムズボックスの限定版。
のびのび描かれた
台湾スケッチが見られます。

いつか、何かを作るときのために。
そんな言い訳をしつつ、つい買ってしまうのは
こんなかわいいボタン。
ボタン屋、エル・ミューゼにて。

A.K Laboに飾られていた桜の花に刺激され、お花屋さんで桜を購入。
左手に桜、右手にパンやら本やら。
気がつくとすっかり辺りが暗くなって、
「ああ、もう帰らなくちゃ」。
ふと横を見ると、わいわいと一杯やっているお父さんやお兄さん。
なんだか楽しそうだなあ。
ハーモニカの吹き口のように小さな店が100店以上も並んだ
駅近くの横丁、ここはその名も「ハモニカ横丁」。
昔ながらの飲み屋さんもありますが、
ハモニカキッチンというおしゃれなレストランバーもありました。
昼間の吉祥寺散策の次は、夜のハモニカ横丁探検？
友だち誘ってまた来ようっと。

Map

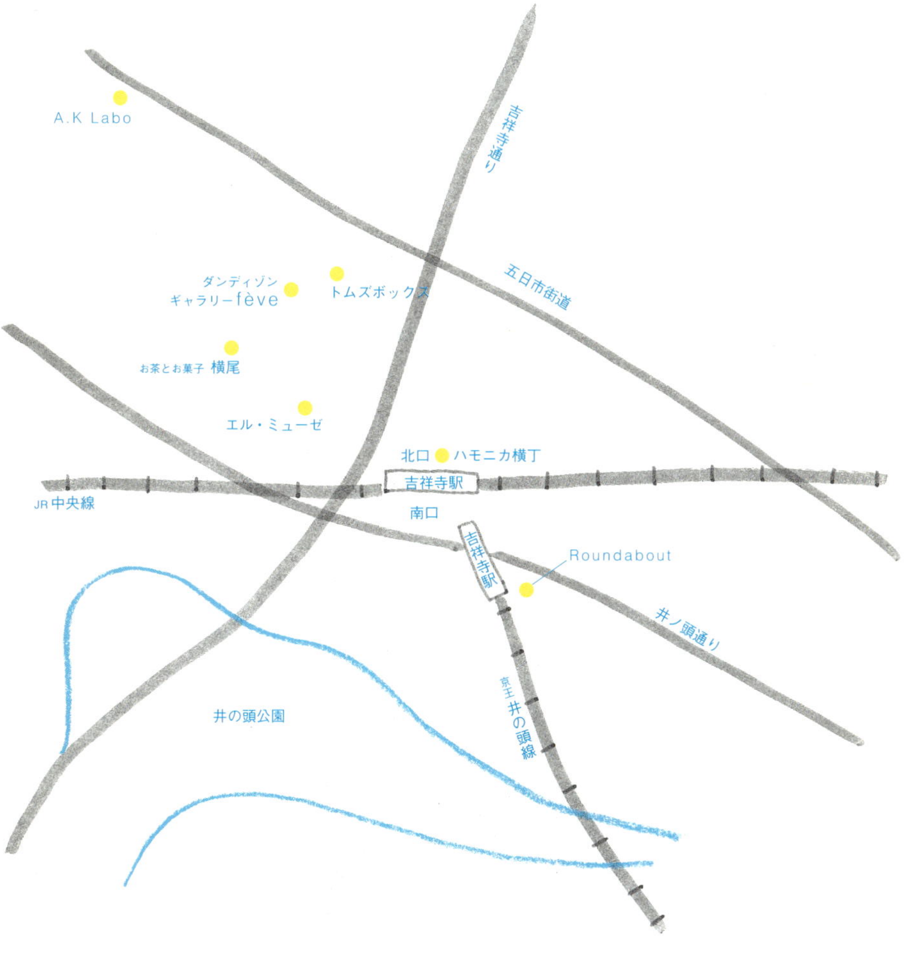
A.K Labo
吉祥寺通り
五日市街道
ダンディゾン
ギャラリーfève
トムズボックス
お茶とお菓子 横尾
エル・ミューゼ
北口
ハモニカ横丁
吉祥寺駅
JR中央線
南口
吉祥寺駅
Roundabout
井ノ頭通り
京王
井の頭線
井の頭公園

根津・谷中

時にはふたりで

谷中・根津・千駄木。
通称「谷根千《やねせん》」と呼ばれるこのあたり、
戦火をまぬがれたこともあり、
「お江戸」の雰囲気が今でも色濃く残っています。

そういえば、おいしいたいやき屋さんがあったっけ。
久しぶりに千代紙のお店にも行きたいな。
お風呂屋さんだったギャラリー、今はどんな展示？
気になるところはやっぱり、昔ながらのお店や食べ物屋さんばかり。

ふだんは一人でぶらぶらすることの多い私ですが、
女友だちとあーだこーだと言いながらの
街歩きはなかなか楽しいものです。
下町情緒いっぱいの谷根千なら、なおさらのこと。
「ねえねえ、行こうよう」
そう誘ってつき合ってくれたのはイラストレーターの平澤まりこさん。
平澤さんお勧めの場所がいろいろあると聞いて
わくわくしましたが、今日はあいにくの雨。
遠足や旅行の「ここぞ！」という時には、100％晴れる「晴れ女」の私なのに。

よほどの雨女と見ましたぞ、平澤さん。

根津神社

さかのぼること1900年ほど前、日本武尊が創祀したと伝えられる古い神社。
7000坪の広い敷地には「文豪憩いの石」「乙女稲荷神社」「つつじ苑」など
見どころがたくさん。
それにしても雨に濡れてしっとりときれいな景色。

境内のしだれ桜。

何をお祈りしたのかな？

お参りした後は
どこへ行こうか？

根津　金太郎飴

切っても切っても金太郎の顔。
子どもの頃、「どうして？」と
どれだけ不思議に思ったことか。
根津神社からほど近い「金太郎飴」は
昔なつかしの飴屋さん。
ちょっと太った金太郎、
それともハンサム金太郎？
あなたの好みはどちら？

ずらり、飴、飴、飴。

金太郎、金太郎、金太郎。

熱ーい飴を持ってもへっちゃら、という
ご主人の頼もしい手！

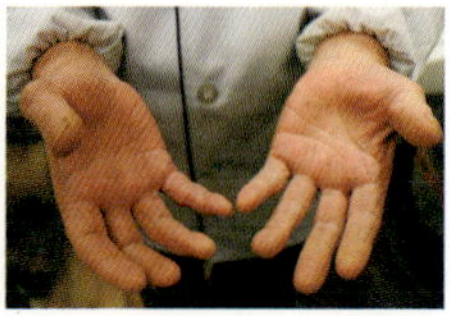

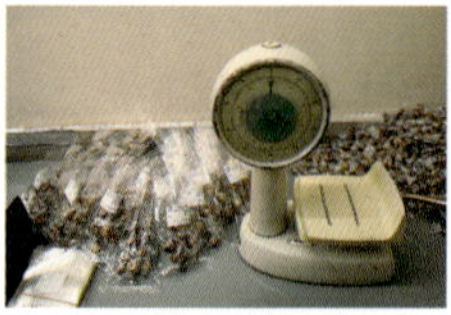

秤のある風景って
最近見ないと思いませんか？

㐂久月

谷中霊園の脇の道を下りきったところにある和菓子屋「㐂久月」。
川端康成は、このお店の「あを梅」や「ゆずもち」が大好物だったのだとか。

「さくら」

「はるの水」

私これ。
私こっち。

台東区の
伝統工芸文化財という
青山信雄さん（2代目）。

信雄さんの
息子で3代目の
和夫さん。

朝倉彫塑館

彫塑家・朝倉文夫の
住宅兼アトリエだったという建物です。
「二次元的な物は造りたくない」と
デッサンをせず、見たり触れたりしただけで
造りあげたという作品は、
すぐにでも動き出しそうなほどリアル。
私たちが見ているのは犬の彫刻。
毛並みまで忠実に表現されていました！

昭和10年に建てられたという建物。

吹き抜けの空間に
大隈重信の像が。

大きな像を造るときに使用した地下空間。

朝倉氏が愛してやまなかった猫たちの彫像。

壁紙は
なんとシルク！

見る部屋によって印象が変わる水庭。

居間だったお部屋は
平澤さんのお気に入り。

この先には何があるのかな。

いせ辰　谷中店

千代紙の版元として有名ないせ辰。
「この柄、見たことある！」なんて人も多いのでは？
「クロッキー帳をカバーしたり、自分の作品をコラージュするための千代紙はたいていここのもの。
丈夫だし手触りがとてもいいんです」と平澤さん。

さすがイラストレーター！
紙を見る目が真剣。

こちら、おみやげにしたい折り紙。

モダンな柄に
びっくり。

薄い水色と斜めのライン、うさぎ柄が気に入った「波うさぎ」。
ときどき眺めては「かわいいなあ」とほのぼの。

旧吉田屋酒店

ここは何？
通りかかって入ってみたのは
昔の酒屋さん。

すみずみまでチェック！

SCAI THE BATHHOUSE

扉をがらり。こちらは200年続いたという
元お風呂屋さん。
今は、現代美術ギャラリー！

谷中せんべい

「これと、これ。
2枚ずつくださーい」
なんて
お店の人とのやりとりも
なんだか楽しい。

パリパリ

丁子屋

昔のシャッター？
入り口の木のよろい戸は、
今でも現役。

うさぎ柄

明治28年創業。
着物の洗い張りと染め物の専門店、丁子屋。
創業当時は店の前を川が流れ、
染めた布をそこでゆすいでいたのだとか。

カヤバコーヒー

さくらんぼがちょこんとのった
ミルクセーキがおいしい。

さんぽの収穫

一日のおいしい記憶をたどりながら、
二人でのんびりお茶でもいただきましょう。
「いつか正絹の着物を手に入れたら
丁子屋さんで洗い張りを頼みたい」という野望を胸に秘めつつ……。
また来ようね、平澤さん。

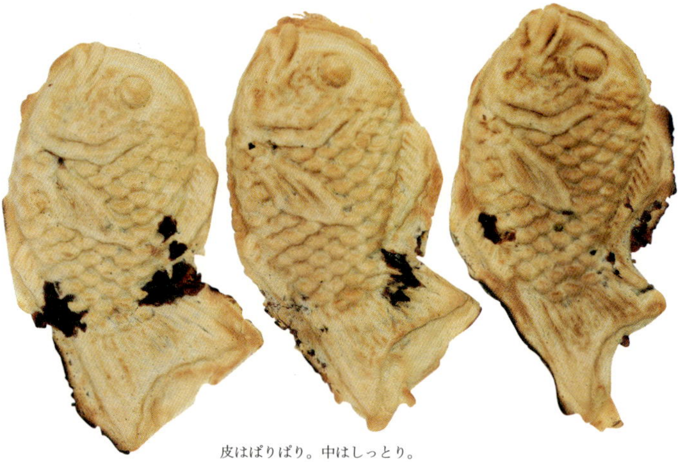

皮はぱりぱり。中はしっとり。
いつも行列の「根津のたいやき」。

ささっと包んでくるりとリボンで結ぶ、
手際の良さが心地いい。
㐂久月にて。

Map

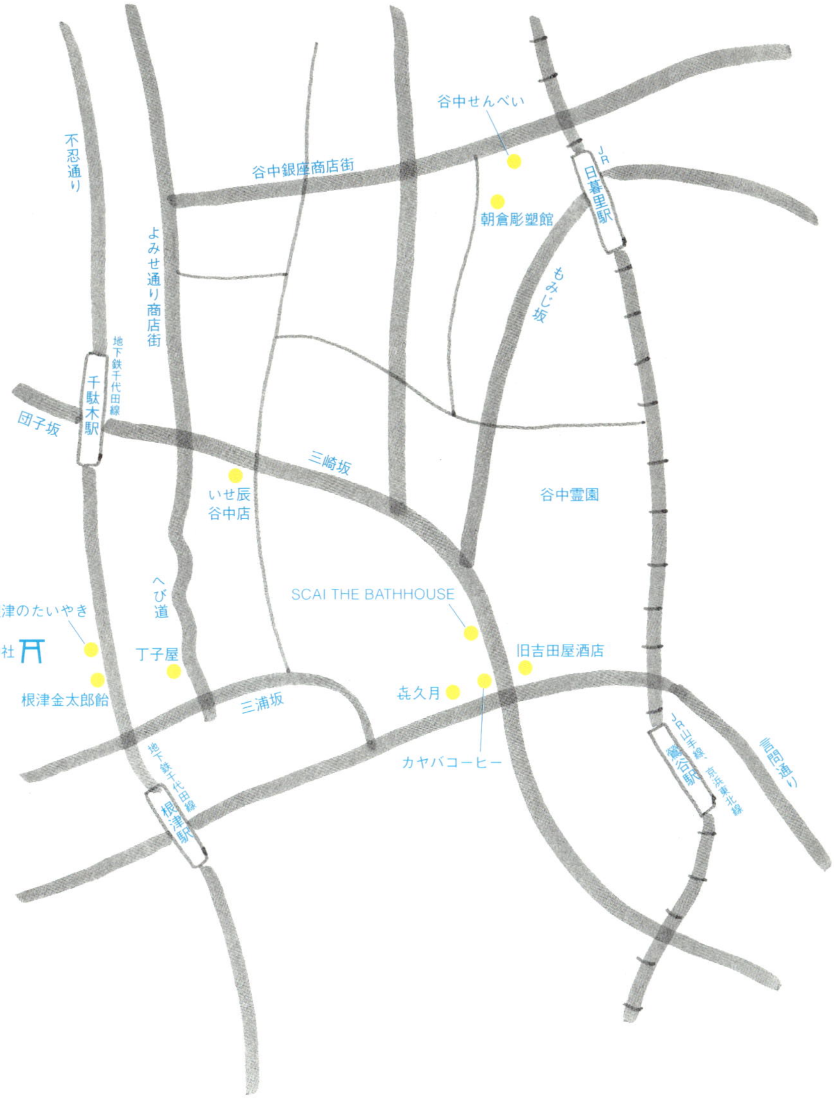
谷中せんべい
谷中銀座商店街
JR
日暮里駅
朝倉彫塑館
不忍通り
よみせ通り商店街
もみじ坂
地下鉄千代田線
千駄木駅
団子坂
三崎坂
いせ辰
谷中店
谷中霊園
へび道
SCAI THE BATHHOUSE
根津のたいやき
根津神社
丁子屋
旧吉田屋酒店
根津金太郎飴
三浦坂
㐂久月
カヤバコーヒー
JR山手線、京浜東北線
鶯谷駅
言問通り
地下鉄千代田線
根津駅

二子玉川

緑をすいこむ日

昔は東京の避暑地だったこの辺り。
駅から少し足をのばすと、
その面影が垣間みられる場所が
そこかしこに残っています。
住む場所にこの辺りを選んだのも、
そんなほっとできるところがあったからかな？

忙しくて頭の中がごちゃごちゃになった時、
とりあえずは散歩に行こう、と
一度すべての作業をやめて出かけます。
静嘉堂文庫の木のトンネルをくぐって
緑の空気を大きく吸い込むと、
さっきまでのごちゃごちゃはすうっと消えて
落ち着きを取り戻していくような気がします。

そういえば、
私にとって東京ってどんな印象なんだろう。
新しい情報が次々に押し寄せて、ピカピカのビルが建ち並び、
人がたくさんいるところ？
いろいろ思い浮かべたけれど
案外すぐに思い浮かぶのは、
こんなに緑がいっぱいの
世田谷なのかも。

静嘉堂文庫美術館

静嘉堂文庫美術館では、
旧三菱財閥・岩崎家の
古美術コレクションを見ることができます。
展示を見た後は、広い敷地の散歩もおすすめ。
春はしゃくなげ、
夏は奥深い緑、
秋にはいちょう……。
企画展は一年に4回ほどあるということなので、
季節を変えて来てみよう。

丘の上からの見晴らしにしばしうっとり。
多摩川の堤防の向こう側には川崎が見えました。

「国宝や重要文化財も
多く所蔵しているんですよ」と
学芸員の小林さん。

こちらはなんと岩崎家の納骨堂。
中国と西洋が折衷されたデザイン。

美術館の近くには、
トトロが出てきそうな神社が。

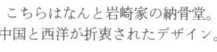

この日の展示はヨーロッパの印象派や現代の日本画にも影響を与えたという「琳派」。
私が見ているのは、尾形光琳の「桜鹿・紅葉鶴図屏風」(江戸時代)。

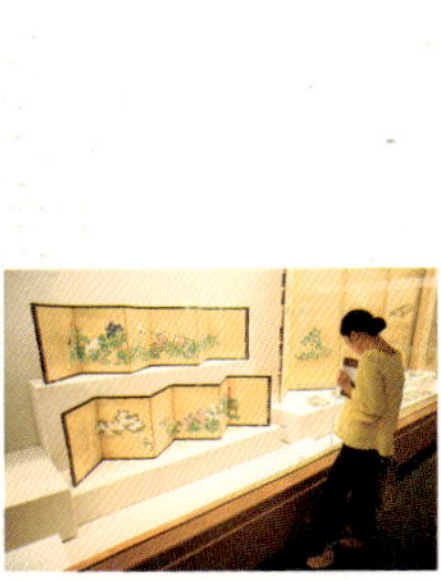

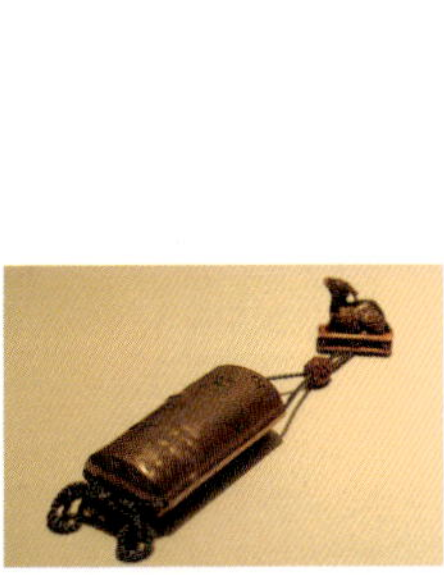

展示を見つつも大きな窓の外の景色に目をやったり、
売店で書籍を見たり。
平日で小雨が降っていたにもかかわらず、
展示を見に来ている人がたくさん。

旧小坂邸

じゃり道を歩いていくと、
政治家・小坂順造氏の別邸だった家屋が
ひっそりと姿を現しました。
明治から昭和にかけて、この辺りは
別荘地だったそうですが、うっそうと木が生い茂り、
真っ暗な山道しかなかったとか。
この建物では、寄せ木細工の木の床、木の釘、
八角形の柱……と昭和初期の
最高の意匠が凝らされた造りを見ることができます。

壁は
「なた削り」という手法の
荒々しい模様。

女中部屋の脇にあった
呼び鈴。

見上げると、
こんな素敵な照明が。

個室の電話室が
家の中にあるんですよ。

次大夫堀公園民家園

一見、映画のセットと見まがいますが、
ここは江戸時代の終わりごろの農村風景を再現した民家園。
シュロの葉でバッタを作ったり、
藍染めを体験できる教室の他に、十五夜、恵比須講
（恵比須大黒様に、尾頭付きの魚や
財布を入れた一升枡を供える）
といった季節ごとの行事も。

酒屋の2階でひと休み。

はた織り機

かまど。
今でも火を入れるときがあるそう。

とっくり、お皿、柄杓……
昔の台所道具がたくさん。
気になる、気になる。

珍しがって、
子どもたちが
ジャアジャアと井戸の水を出すのだそうです。
私も……。

KOHORO

週に一度くらい、ふらりと立ち寄っては器を見たり、
お店のみんなとおしゃべりしたり。
お店に行くというよりは友だちの家に遊びに行くような感覚のコホロ。
月に一度、行われる企画展も楽しみのひとつです。

「コホロ」とは
ことん、かたん、という
平安時代の擬音語なのだとか。

「このランプシェード、
工事現場で見つけて、
欲しい！　と思っておじさんに
売っている場所を聞いたんですよ」
と店主の恵藤さん。

くったりと柔らかく
持ちやすそうなバッグは、
お店のオリジナル。

井山三希子さん、市川孝さん……
顔なじみの作家さんの器が
手に入るのも嬉しい。

リゼッタ

コホロで器を、リネンバード（次ページ）で布を見たら、そのあとはリゼッタでお茶をいただきます。
おやつに、とよく頼むのがキャラメルソースがかかった塩キャラメルのワッフル。
さくさくとしたワッフルに甘いソースとバターがたまらない。
お買い物途中、細い路地に面した席でほっと一息ついていると
友だちに会うこともしょっちゅう。ここはなんだか地元の社交場みたい。

ひとりで
ごはんを食べるのに
緊張しない、
こういうお店って貴重です。
今日はパテのプレートを、
赤ワインと一緒に。

棚の中は
オリジナルの服や
アンティークリネンの
服など、
部屋着にしたいものが
たくさん。

お店の店員さんとお客さんの間に流れるのは不思議な連帯感。
これってなんなのかなあ？　と思っていたらなんてことはない、
みんな手作りが好きってことなのでした。
たくさん並ぶ計り売りの布を前に「何を作ろうかな？」と迷うひとときは、
手作り好きには堪えられない至福の時間。

パンツと合わせて街着に、
時には旅先でパジャマにもなる
リベコ・ラガエのブラウス。
シーツも、タオルも、
キャミソールドレスも。
リベコ・ラガエは
なくてはならない私の定番。

毎日これで、
きゅっきゅと拭いてます。

これを使っていると必ず、
「どこの？」と聞かれる
自慢の北欧の定規。

さんぽの収穫

多摩川の土手には
シロツメクサが辺り一面に咲いていました。
小さい頃、シロツメクサの冠を頭にのっけて
友だちとお姫様ごっこをしたなあ。
懐かしい！

夏に浴衣と合わせたい、
青森の職人さんが作った、あけびのかご（コホロオリジナル）。

Map

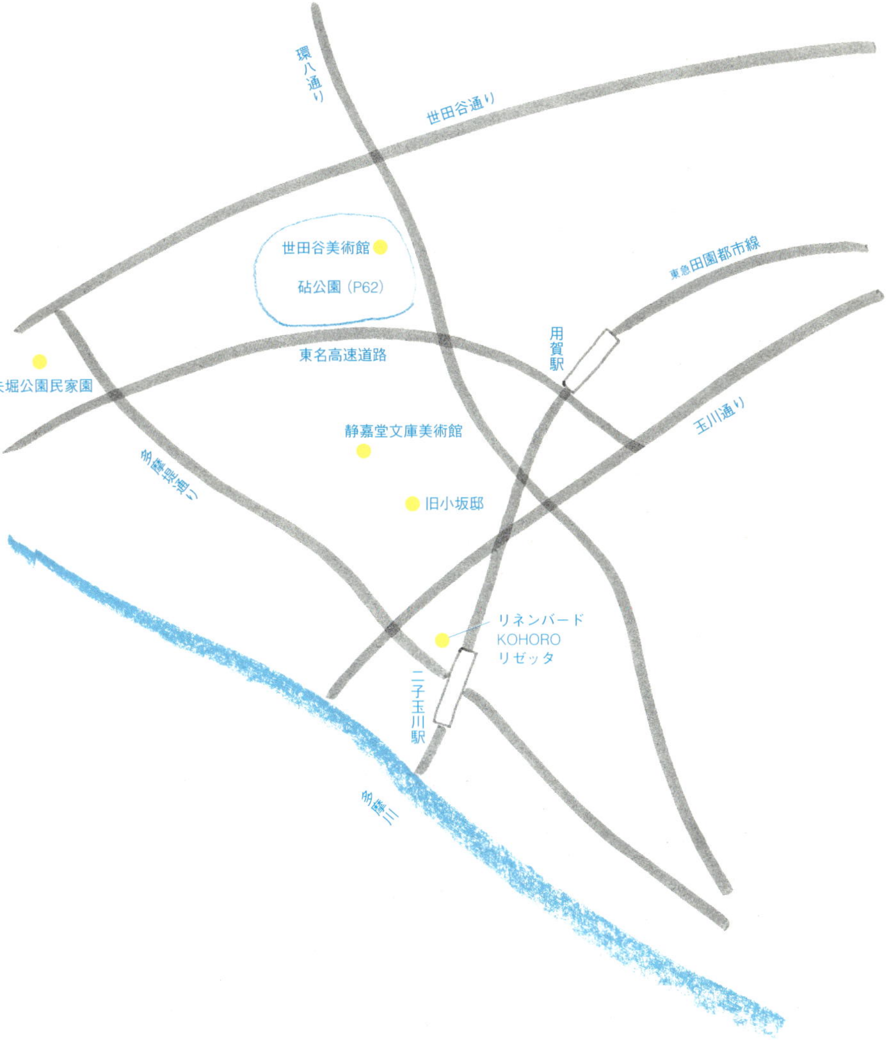
環八通り
世田谷通り
世田谷美術館
砧公園（P62）
東急田園都市線
用賀駅
東名高速道路
次大夫堀公園民家園
静嘉堂文庫美術館
玉川通り
多摩堤通り
旧小坂邸
リネンバード
KOHORO
リゼッタ
二子玉川駅
多摩川

おまけの散歩

その一

東横線に乗って

高校生の頃、毎日乗っていた東横線。
当時から、雑貨屋さんをめぐったり、新しいお店を開拓していた私。
東横線沿線の代官山や中目黒、自由が丘には、
小さいけれど店主の好みがはっきりとしているおもしろいお店がたくさんありました。
今でもそれは変わらないと思う。

今日は久しぶりに、花見が終わってほっと一息ついたかんじの
目黒川にやってきました。
青々とした葉っぱと光に照らされた川がすがすがしい。

この川沿いにお気に入りの本屋さんがあります。
「カウブックス」という名前の本屋さんです。
どうお気に入りかというと……？

COW BOOKS 中目黒

カウブックスはコーヒーを飲みながら、
ゆっくりと古本探しができるお店です。
でも、本屋さんというかんじがなぜかしない。
友だちの本棚を覗いているような気分になる本屋さんなのです。

どういうわけか、
食に関する本が多くなる。

店に着いたら、入り口右側の本棚からチェック。
ぐるりと一周見終わると、
両手が本でいっぱいに。

& STRIPE

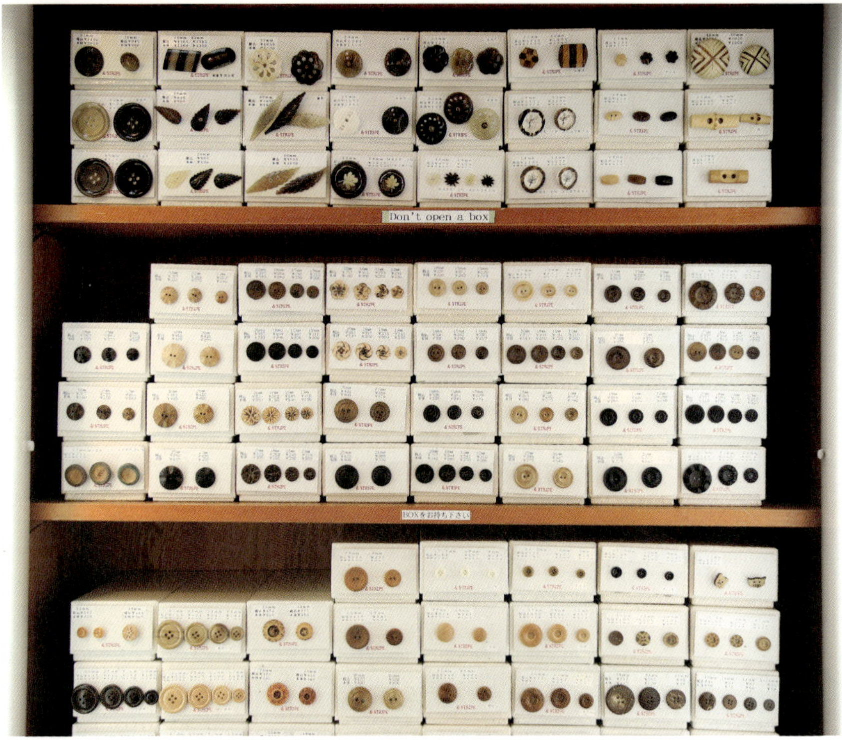

小さいのに、きちんと自分の役割を持っているボタン。
「&ストライプ」には、そんないじらしくもかわいらしいボタンがたくさん揃っています。いつもの服のボタンを付け替えてみたり、ブローチのようにちょこんとセーターにつけたり。
カウブックスと同じ目黒川沿い、青い看板が目印のお店です。

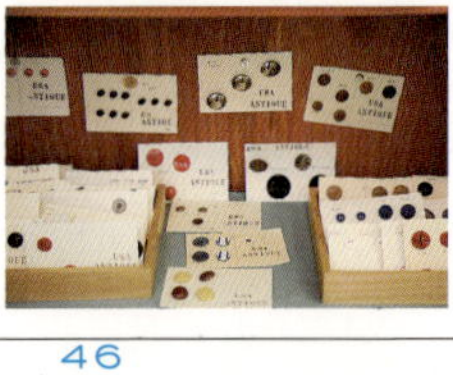

アンティークの一点もの、
ボタンで出来たヘアピン、
プレーンな貝ボタンに、
木のボタン……。
手作り心がうずうずに。

リーノ・エ・リーナ自由が丘店

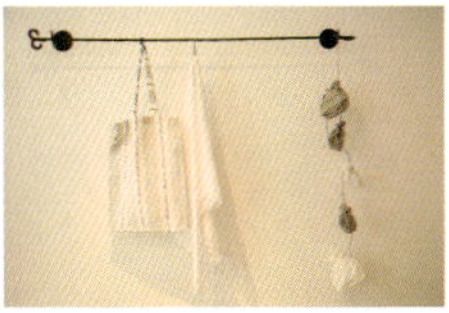

東横線に揺られて中目黒から4つ目。
自由が丘にある、リネン屋さんのリーノ・エ・リーナ。
キッチンクロス、服、ベッドリネンにショール……
身の回りのものなら揃わないものはない？
やさしい風合いのリトアニア製リネンは、
家での時間を心地よくしてくれそう。

お店にはリネンの原料、フラックスが。
ピン、と引っぱってもとても丈夫な繊維。

淡い色がたくさん揃ったオリジナルのリネン類。

左は茎、
右は種。

田園調布・等々力

本当は、だれにも教えたくないんですけど。

いつ行っても同じたたずまい。
いつ行っても変わらない味とおなじみの顔。
ほっとして、くつろげる。
そしてとびきりおいしい！
そんなお店が家の近くにあるなんて、
私はなんて幸せ者なんだろうと思います。

オーボンヴュータンの河田さん。
パテ屋の林さん。
えんがわのなゆたさん。
やさしい素敵な笑顔の奥底に、
お店への愛情と誇り、そして厳しさが感じられる。
訪れるたびに自分もこうありたいなあと
姿勢を正してみる。
そんなお店ばかりです。

本当はね、だれにも教えたくないんですよ、
本当はね。
自分だけのとっておきにしておきたい。

でもね、みんなに行ってもらいたいとも思うのです。

パテ屋

レバーパテ、イカのすみ煮、牡蠣とほうれん草のペースト……。
パテ屋さんのパテを味わう時、「丁寧に作るってこういうことだな」と
感じ入ります。店主・林のり子さんのおっとりとした話し方や、
商品に関しての丁寧な説明は、「おいしい」以外に私に何かを教えてくれるよう。

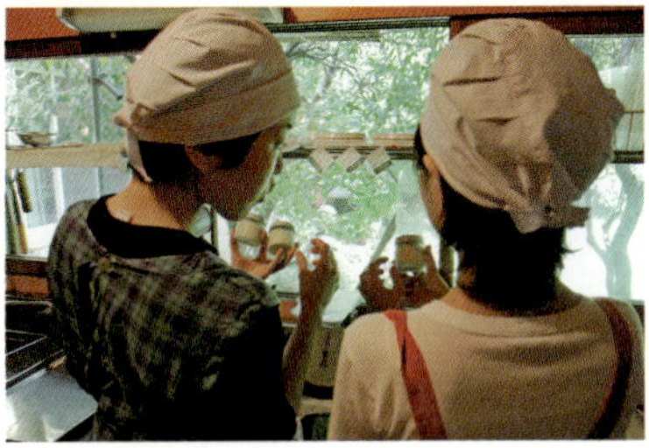

30年以上ずっと同じ色だというオレンジ色の壁、
使い込まれた鍋、三角巾にエプロン姿。
どこか懐かしい雰囲気。

パテにぴったりなのが
かりかりのトースト。
瓶詰めや冷凍のベーコンもおすすめ。

林のり子さん。
田園調布界隈の
とっておきのお散歩コースを
教えてくれました。

ワインと一緒にいただきたいパテいろいろ。
いつも2、3種、
当日と次の日に食べきれる分を買います。
保存容器を持って行けば
容器代を引いてくれるという配慮もうれしい。

かわいいネズミ親子

パテ屋さんの帰りは
エスプリ・ド・ビゴへ。
パテに合いそうなパンを買って
家路を急ぎます。

えんがわ

パテ屋さんと同じ敷地にある、のり子さんの姪・林なゆたさんのお店です。
「お散歩の帰りに寄ってくれたり、お手紙を書いたり。
そんなふうにここを使ってくれたらいいなあと思って」となゆたさん。
ぽかぽか陽気の日、「えんがわ」の縁側でお茶を飲みながら、手紙を書いてみようかな。

おっとり。
のり子さんと
同じ雰囲気を持つ
なゆたさん。

ピアノやテーブル、
シンガーの古いミシンなどは、
なゆたさんのおうちで
昔から使われていた物ばかり。
友だちとおしゃべりする人、本を読む人、
ひとりで静かに過ごしている人……
みんな思い思いにくつろいでいます。

クスクス。
添えられるアリッサも
手作りです。

鶏肉のピペラドソース。
赤ピーマンの甘みがじんわり。

おいしー

お食後の
プリンとパンナコッタ。

等々力渓谷

等々力に渓谷があるってこと、知ってました？
車が行き交う環八からすぐなのに、
一歩足を踏み入れると、木が風に揺れる音と鳥の声しか聞こえません。
水辺に浮かぶ葉っぱを見つめて立ちどまり、また歩き出す、
そんなのんびりした一日。

おまいり、おまいり

苔や木、花。
水辺にはきれいなものがたくさん。

喉が渇いたら
ラムネで一息。

オーボンヴュータン

お店に並ぶ色とりどりのお菓子。焼き菓子のいい匂い。
流れるフランス語のラジオ。てきぱき働く店員さん。
フランス菓子のお店、オーボンヴュータンに来てわくわくしない人って、
いないんじゃないかな。
行く前は「何を買おうかな」とうきうき。
帰る車の中では「早く食べたい！」とうずうず。
一日中、幸せな気持ちが続く素敵なお店なのです。

お店でしか食べられない
グラース（アイスクリーム）。
娘のお気に入りは
フランボワーズとチョコレート。
「最高の組み合わせ！」なのだとか。

生菓子が並ぶケースのお向かいには
コンフィチュールがずらり。

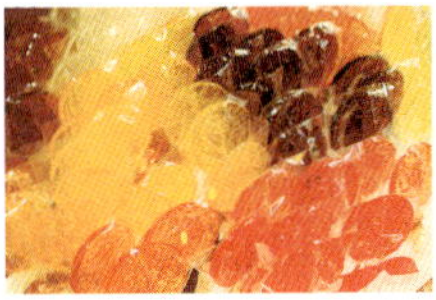

ぺろぺろキャンディーも
シェフ、河田さんにかかると
本格的な大人の味。

きちんと果物の味がする飴の中には
パート・ド・フリュイが
混ぜ込まれているそう。

さんぽの収穫

等々力渓谷の空気や散歩中に出会った人たちとの会話。
「さんぽの収穫」は持って帰れるものばかりではありません。
持っては帰れないけれど、楽しかったり気持ちよかったりしたことって
心にちゃーんと残っているものなのです。

「この塩漬けのケイパーはね、
チャーハンに混ぜてもおいしいのよ」
いつもいろいろな食べ方を教えてくださる
パテ屋の林のり子さん。
おかげで料理の幅がどれだけ広がったことでしょう。
今日もゴマとヒヨコ豆の「フムス」を買った私に、
「これにヨーグルトと刻んだ香菜、オリーブオイルを
混ぜると、野菜にぴったりのペーストができますよ」。
うーん。聞くだけでおいしそう。

今日の最大の収穫は、おいしいペーストの作り方。
しっかり心のメモに書き残しておきました。

Map

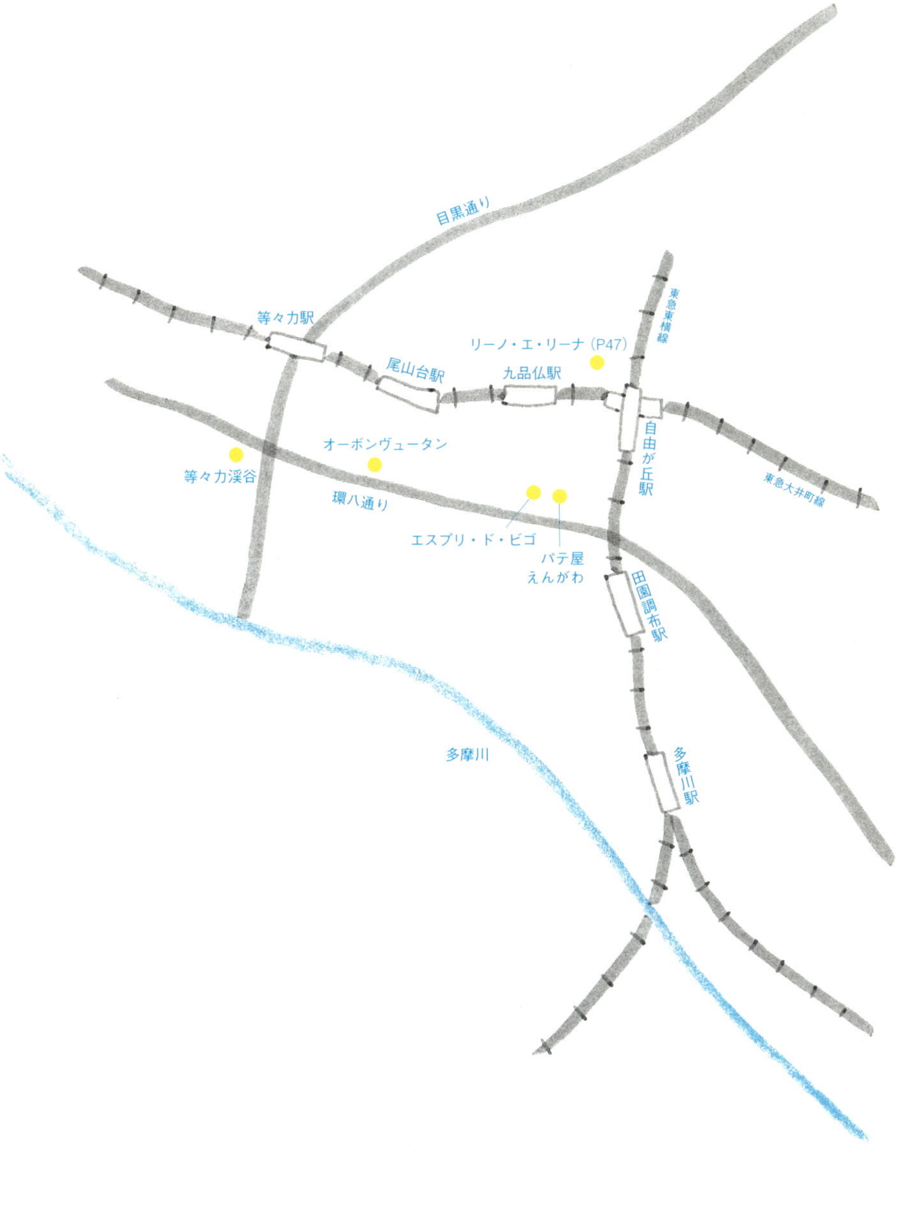
目黒通り
等々力駅
リーノ・エ・リーナ（P47）
東急東横線
尾山台駅
九品仏駅
自由が丘駅
オーボンヴュータン
等々力渓谷
環八通り
東急大井町線
エスプリ・ド・ビゴ
パテ屋
えんがわ
田園調布駅
多摩川
多摩川駅

小さな遠足 その一 砧公園

平日、ひとりのお昼ごはん。
ちょっと時間にゆとりのある時は、
かごに食べ物をつめて砧公園に向かいます。
おべんとう、というほど気合いの入ったものではないんです。
きのう食べたスープとか、買っておいたパンとか。
そんなものを入れたかごをぶら下げて、自転車をこぎこぎ。
10分ほどで到着です。

今日はこんなにいいお天気なのに、
公園を歩く人は、私とお散歩中の保育園の子どもたちくらい。
誰も見てないから、草の上でごろごろ昼寝でもしちゃおうかな。

最近、気に入っている
スウェーデン風
野菜のスープ。

クリームチーズの
ディップと
ひよこ豆のディップ、
野菜スープを
瓶に詰めたら
冷めないうちに
すぐ出発。

北欧の旅から帰ってきたばかりだったので、
今日のお昼は北欧風。
旅した国にすぐ影響される。

「展示はなにかな？」
ここは砧公園の中にある世田谷美術館。
長い廊下の先にはレストランが。

喉が渇いたら
ひと休み。

浅草

お着物さんぽ

地下鉄を降りて階段を上り、地上に出ると
そこはもう別世界。
人力車を引くお兄さん、
すれ違う修学旅行中の中学生や
お土産物屋さんを冷やかす外人さん。
地図を片手にうろうろしているおばあちゃん。
歩いているだけでなんだかわくわくしてくるような
不思議な気分になるところって、
ここ、浅草以外に
そうないんじゃないかな？

普段は雑踏を避けて静かな東京を探している私ですが、
浅草だけは別。
浅草寺でお参りしておみくじ引いて
仲見世通りで人形焼を買い、歩きながらぱくり。
雷門の前で記念撮影して、
思いっきりおのぼりさんになりきります。

桜の季節にはお花見を。
5月は三社祭、7月はほおずき市。
年末には羽子板市……。
一年を通して楽しそうな行事を目指して遊びにくるもよし、
暖簾を守り続ける老舗を訪れるもよし。
自分なりの「マイ浅草」をご探求あれ。

雷門をくぐり浅草寺へ。
はやるこの気持ちは子どもの頃、
お祭りに行ったときのよう。
娘の最近のヒットは、
友だちと行った
雷おこし作り体験と花やしき。
どうやら子どもも、
わくわくする街みたい。

記念撮影する人の間を縫って
ぱちり。

仲見世通り。
お土産物屋さんでわいわい。

大香炉の煙を体に浴びて
健康でいられますように。

おみくじも忘れずに。

ペリカン

そのまま食べるのはもちろん、
わが家ではコロッケや焼きそばをはさんだりすることも。
そんないつものおかずにぴたりとはまる、ペリカンのロールパンと食パン。
一度食べたらまた食べたくなるのはなぜ？
おかずにぴったりのごはんみたいなパンだから？

店先に
ずらりと並ぶパン。

一日に焼くロールパンは200個。
食パンは200本以上！

焼きたて。
おいしそうな匂いについ
クンクン。

古い冷蔵庫に入っているのは、
これからパン粉にするという
乾燥させたパン。

もちっとした手触り

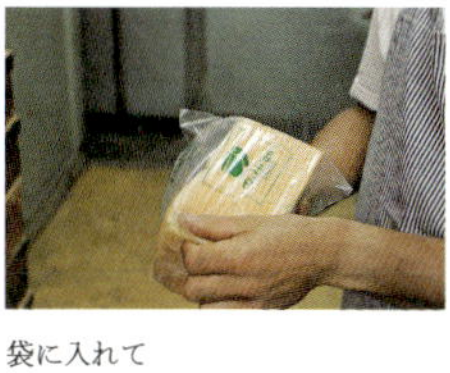

袋に入れて

「このパン釜で焼くんですよ」
3代目、渡辺猛さんに
話を伺う。

ほていや　中塚商店

ペリカンから歩いてすぐの場所に、豆屋の中塚商店があります。
昔ながらの木のケースに入ってずらりと並んだ堅豆、花豆、五色豆……。
……とそこに、まるまると太ったおいしそうな落花生を発見。
落花生には目がない私。今日の買い物はこれに決まり。

ご主人・泰司さんのお父さま、
中塚泰蔵さんはなんと三社祭の総代。
ユニクロのモデルにもなったという粋な
おじいちゃんです。

言問団子

こととい、コトトイ、コトトイ……かわいい響きのお団子屋さん「言問団子」。
言問橋や言問通りはこのお店の名前に由来するのだという、
江戸末期から続く老舗のお団子屋さん。
浅草の喧噪から少し離れた場所にあるので、ほっと一息つきたいときにどうぞ。

在原業平の歌の中の
「都鳥」が
お店のモチーフ。

包み紙ももちろん鳥模様。
お皿や湯のみ、暖簾……
店内にもあちこち鳥のモチーフが。

アンヂェラス

創業は戦後まもない昭和21年。
手塚治虫や池波正太郎の行きつけだったという
喫茶店、アンヂェラス。
隣の席には葉巻をふかす男性や
常連風のおじいちゃんなどが寛いでいて、
どことなく「男の喫茶店」といったかんじです。
夕方ふらりと一人で立ち寄ってハイボールを飲む、
なんていうのもいいなあ。

ダッチコーヒーに梅酒を入れていただく、
梅ダッチコーヒー。

特注したというコーヒーカップ。
豆や、使う道具にもこだわりが。

若い頃、
ヨーロッパに遊学した
マスター。

さんぽの
収穫

茶色の紙袋に緑のペリカン。
絵や書体がかわいいなあと思っていました。「でも、どうしてペリカン？？」
訊けば、今から40年ほど前、渡辺猛さんのお父さん（2代目・多夫さん）のあだ名が「ペリカン」
だったため、芸大の学生さんに頼んでペリカンを描いてもらったのだそうです。
以来、この袋を見るたびにお父さんのお顔を思い出しては、ほのぼのしています。

この袋がキッチンにあると、
「あ、ペリカンのパンだっ！！」と
大喜びの娘。
浅草寺幼稚園では給食に
ここのパンが出るとか。
素朴な味は
子どもにも大人気なのですね。

右が渡辺猛さん。
左がペリカンに似てる？
お父さんの多夫さん。

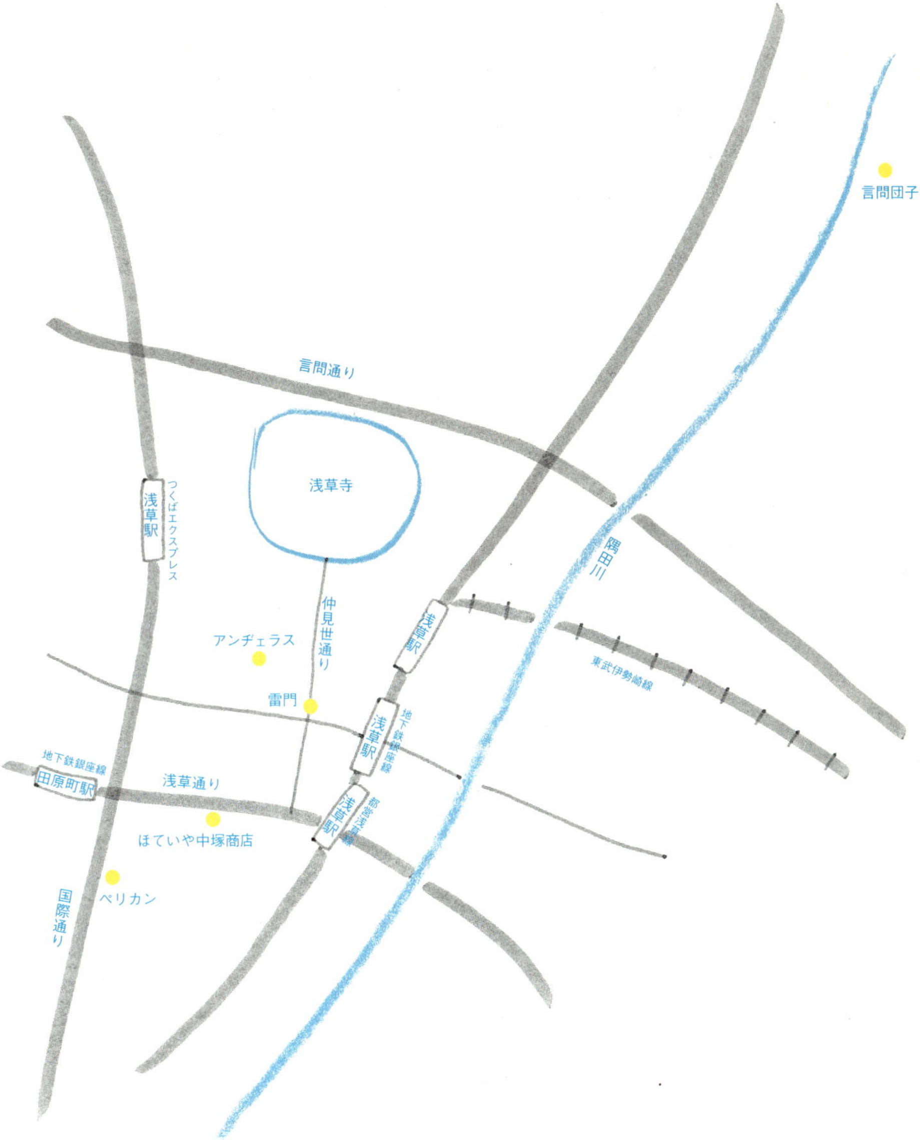
言問団子
言問通り
浅草寺
浅草駅
つくばエクスプレス
隅田川
浅草駅
仲見世通り
アンヂェラス
東武伊勢崎線
雷門
浅草駅
地下鉄銀座線
地下鉄銀座線
田原町駅
浅草通り
浅草駅
都営浅草線
ほていや中塚商店
ペリカン
国際通り

おまけの散歩

その㊁

浅草　ほおずき市

毎年7月の9日と10日に、浅草寺で開催されるほおずき市。
この期間に参拝すると、4万6000日分の日参と
同じご利益があるのだとか！

この日、私は参拝がメイン。その後、ほおずき市でお買い物を。
娘はどうやら参拝よりも、縁日で金魚すくいをするのがお目当てみたい。
「それからたこやきも食べたいし、
かき氷も食べていい？　綿あめはあるかな？ ママ」
……お祭り気分でいっぱいのよう。

それにしても一体、4万6000日って、何年なんだろう？

並んで並んでやっと順番。
お参りしたら、
どこに行こうか？

冷たいお水で手を清めましょう。

ほおずきについている
風鈴が気になる様子。

威勢のいいかけ声が
響きわたります。

境内にずらりと並ぶ
ほおずきの店。
あまりに多くて
どの店のものがいいのか
迷ってしまいそう。

迷子に
ならないようにね。

かきごおり〜

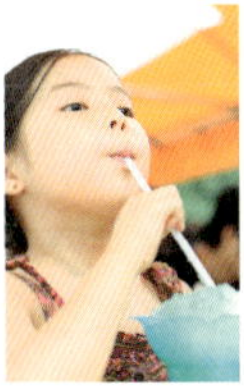

冷たくて
おいしいよ

やぶけちゃったね。

さすが今日の
メインイベントだけあって、
金魚に立ち向かう目は
真剣そのもの。

2匹釣れたよ。

屋台の定番、たこやき。
辺り一面、いい匂いが。

ハフハフ。
大きすぎてひとくちで
食べられない！

ほおずき

金魚

ほおずきも買いました。
金魚もすくいました。
はっと気がつくと日が暮れて、
裸電球がぽつぽつ灯り始めました。
昼間とは違った風情の夜のほおずき市も、
なかなかいいかんじ。

お店のおじさんに勧められた、
葉が青々としたほおずきを買いました。
大切に育てますね。

夜の浅草寺

ああ、楽しかった。
12月の羽子板市にも行こうね。

小さな遠足

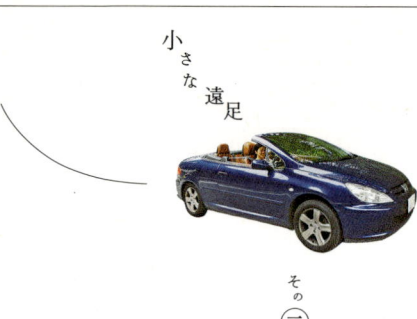

その㈡ 青梅

今日はからりと晴れたいいお天気。
こんな日はどこかに遠出したくなります。
この前は海に行ったから今度は山？
そうだ、東京のはじっこ、青梅に行こう。
前から行ってみたいところがあったんです。

車の屋根を開けて風を顔に感じながら、
いざ、奥多摩方面へ。
目指すは玉堂美術館。

こちらは入り口。(上)
石庭に置かれた石は、多摩川の自然石だそう。(下)

美術館の奥には、玉堂の画室を再現したという部屋が。
まるで玉堂先生がさっきまでそこにいたかのような佇まい。

玉堂美術館

奥多摩の自然を愛してやまなかったという日本画家の川合玉堂。
亡くなるまでの10年あまりをこの土地で暮らし、多くの名作を生み出しました。
ここでは生き生きと息づく温かい絵の数々が見られます。

天才でありながら努力家だったという玉堂。

墨の濃淡だけで
表現された作品。

若き日の写生。

美術館の前は多摩川。
川岸でおべんとうを食べたい気分に。

どこまでも広がる山と空。

今日はカヌー大会があったよう。
いろんな色のカヌーが
川岸に並んでました。

御岳山

がたん、ごとん。
御岳登山鉄道に揺られ、山の上へ。
急な勾配にひやひやしつつも
ケーブルカーを降りると、そこは別天地でした。
ひんやりした空気と小鳥のさえずりが気持ちいい。

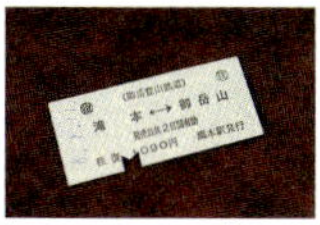

切符はちょっきん、
駅員さんが
はさみを入れてくれます。
懐かしい。

疲れたら休んで。
久しぶりの山歩き。

御岳山の近くで見つけた
無人販売の八百屋さん。
きゅうり一袋200円！

ほの暗くなってきた
山道に提灯が……。
カナカナ、と
ひぐらしの声。

西荻窪

布選びか？　朝市か？

駅を出て小さな飲み屋さんが立ち並ぶ細い道を抜け、
少し歩いたところに
目当てのそのお店はあります。
細い階段を上がり青い木のドアを開けると、
そこはめくるめく布の世界。
手作りが好きな人なら一日中いたいくらい（もちろん私も）。
乙女心をくすぐる水玉や花柄のプリントの布に、
思わず、あれも作りたいこれも作りたい、と
手作り心がむくむくと沸き起こってくる布地屋さん。
それがピンドットです。

さりげないけど、持っていると「どこの？」と訊かれそうな
かわいい布が必ず見つかるので、
布を探したいときはまずここに直行。
どうやらそんな人は私だけではないようで、
お店に行くとなぜか、知り合いのスタイリストさんやら
手芸クラブ（私のまわりで、手作りを楽しむ謎の集団・手芸クラブに入る人が急増中）の
メンバーに会います。

何か作りたいときに行くのはもちろん、
作る予定がないときでも、
見ているだけでもの作りのヒントがたくさん。
デッドストックのはぎれやジャム瓶に入ったボタン、
計り売りのレースやリボン。
こういうこまごました物って
小さいときにしたおままごとの延長のような、
そんな懐かしいかんじがします。
幾つになっても、こういう小さなかわいい物を見ていると、
幸せな気持ちになるものですね。

お気に入りは数あれど、
「かなりのお気に入り」が
この帽子柄の布。
アンティークの布は一期一会。
これだ！　と思ったら
すぐに買うべし。

こけし屋

西荻といえば、ピンドットしか知らなかった私。
ピンドットの近くの飲み屋さんにも入ってみたいし、
街のあちこちにあるアンティーク屋さんも気になる。
でも一番気になっていたのは、
こけし屋。
西荻生まれの友人、料理研究家の渡辺有子ちゃんの情報によると、
こけし屋さんとは
こけしを売っている店ではなく、
昔からあるフランス料理の店で、
月に一度の日曜日、いつもは駐車場となっている場所で
朝市が開かれ、大賑わいなのだとか。
しかも20年以上も前から！

朝9時半集合ね！

まずは絞り立てのグレープフルーツジュースをごくり。

有子ちゃんはキッシュと白ワイン。
私は炭火で焼いたアニョー（仔羊の肉）と赤ワイン。
外の席はうまっていたので、
レストランの中へ移動。

到着したら辺りはお祭りのような賑わい。
外にはパラソルの席がいくつか用意されていますが、既に満席状態です。
コックさんたちが忙しそうに、お肉やオムレツを焼いたりサンドウィッチを作ったり。
お肉を頬張り、グラスワインを飲むおじいちゃんの横では、
パン・オ・ショコラを食べる小さな子どもが。
家族連れや犬を連れた人で、いーっぱい。
ピザ、コロッケ、サーモンマリネ……
ありとあらゆるものが売られていますが、
みんな思い思いに自分の食べたいものを頼んでいるみたい。
それにしても朝からこの食欲って……。
「なんていうか、西荻の人たちってすごいね」
地元の人たちのパワーに押されがちな私たちも、いつのまにやら食欲全開。
この場所にいると、どうやらお腹が空いてくるようです。
グラスにワインがなくなったらまた頼んで、
お腹が減ったら食べたいものを買って。
おしゃべりしながらわいわい、がやがや。
こんな賑やかな休日の朝もいいものだな、と
思いました。

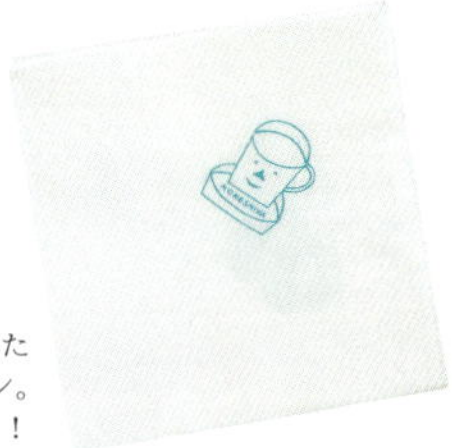

店内に置かれた
紙ナプキン。
かわいい！

アイスクリーム工房　ぼぼり

安心して食べられることにこだわって作られたアイスクリームは、
添加物などいっさい未使用。
その日販売する分しか作らないというこだわりのお店。
子連れのお客さんが多いというのも納得です。

私は
しぼり立て牛乳と
ゆず。
有子ちゃんは
マンゴーと
黒ごまきな粉。

アイスクリームの他に、
こんな品々も。

ちょっとちょうだいね。

無相創

ランプシェードいろいろ。
ガラスの漏斗を
さかさまにしたなんていう
おもしろいものもあり。

豆皿発見の現場。

店先に並んだ書類棚が目を引く、住宅街の中にある骨董屋さん。
お店に入るなり、豆皿４枚を手に取り、
しばし眺めていたと思ったら
「これくださいっ！」と有子ちゃん。早い……。
古い物ってひとつしかないもんね。
有子ちゃんの決断の早さに買い物心と闘志（？）が
沸き起こったのでした。

お店で寛ぐ
看板犬、
楽ちゃん。

ハートランド

「雰囲気がいい」という、有子ちゃんおすすめの古本屋さん。
西荻には古本屋がたくさんあるけれど、
本を読みながらコーヒーや紅茶が飲めるお店はあまりないのです。

海外文学が中心の品揃え。
本の並べ方に
美学があるような。

時にはひとりの世界に入り込んで
ページをめくります。
この距離感がとてもいいかんじ。

ちょっとしたコーナー作りが素敵。

東欧の
マッチラベルまで
売られてる。

郷土料理特集が気になるという有子ちゃんは「暮しの手帖」、
私は『LADY'S LIFE 日常料理編』という料理本を購入。
一通り見終わったあとはお茶を。
選んだ本について、
最近読んだ本、気になる作家……
話はつきません。

さんぽの収穫

こけし屋の朝市を存分に堪能したので、
次回は、モザイクの壁がよく見える静かな店内の席に座って、
お茶を飲んでみたいな、そう思いました。
それはまたのお楽しみ、ということにして
今日はクッキーを買って帰ります。

緑に赤、そして金のリボン……。
どことなくお茶目だけれど
品が漂うこけし屋のラッピング。
描かれているオランダ人形の絵は
洋画家・鈴木信太郎氏によるものと
聞いて納得。

Map

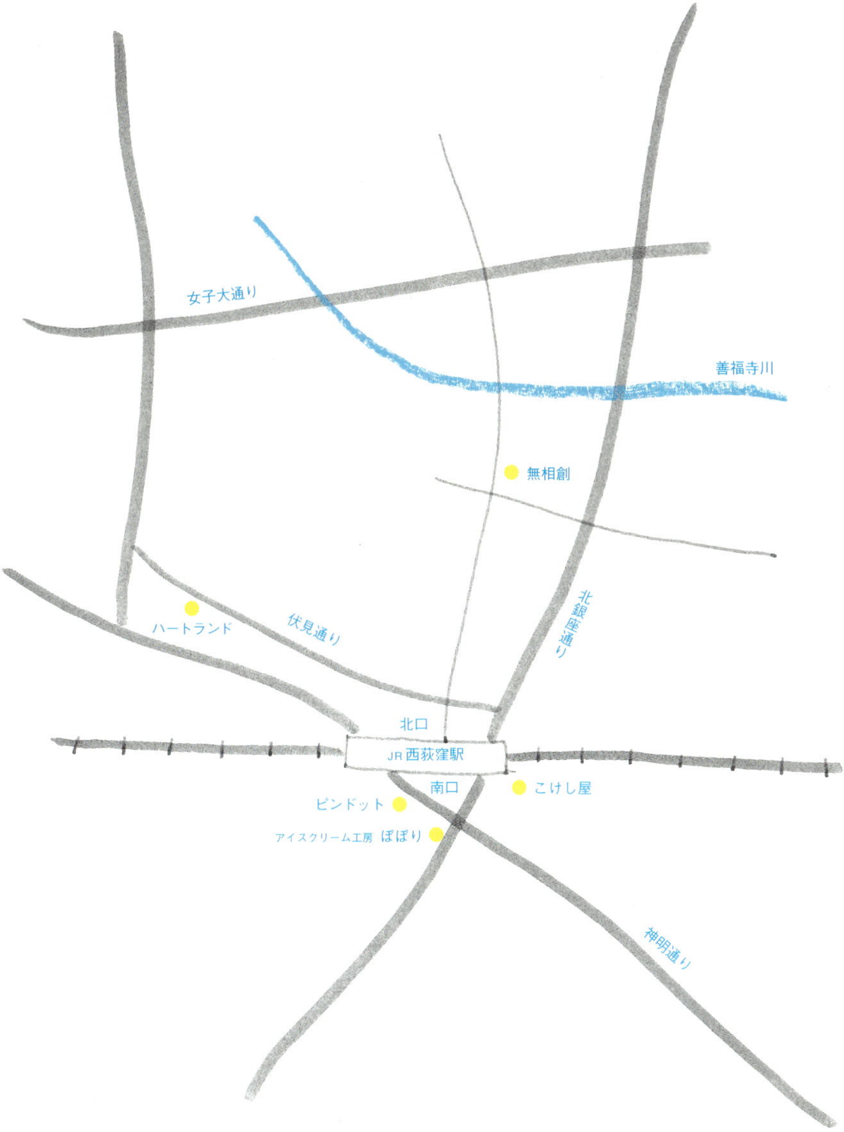
女子大通り
善福寺川
無相創
北銀座通り
ハートランド
伏見通り
北口
JR 西荻窪駅
南口
こけし屋
ピンドット
アイスクリーム工房 ぽぽり
神明通り

おまけの散歩 その三 東郷神社の骨董市

上は砂糖が入っていたと思われる布の袋。
右は色合いが上品な小鳥の切手。

日曜日、朝の８時半。
東郷神社に着いたときに娘が一言、
「ママ、なんだかパリの朝みたいだね」。
そうだね、パリでもよく市に行くもんね、私たち。
車も人も少なくてまだ街が動いていない、そんな朝の街の雰囲気は
パリも東京も変わらないのかもしれないね。
よい買い物をするために早起きして、
「いざ！」というかんじで乗り込む蚤の市名人もいるけれど、
私は「いいものあったらめっけもの」というくらいの、のんびりタイプ。
ぶらぶらしてお腹がすいたら、遅めの朝ごはんでも食べに行こうか？

これは、おせんべい入れかな？
昔の駄菓子屋さんの
店先に並んでいたような
瓶いろいろ。

こちらは小瓶。

「あっ、アルミのおべんとう箱！
これ買いますっ」
即断即決にお店の人もびっくり。

おべんとう箱は
その後、糸入れになりました。
赤系、ブルー系、白系……
色ごとに分けて入れておくと、
とっても使いやすいのです。

青山

おつかいもの探し

ちょっとしたお礼。
パーティーにおよばれした時。
遠くに住むあの人へ。
お中元にお歳暮……。
一年を通していつも何を贈ろうか？　と
頭を悩ませているような気がします。

好みを押し付けすぎてはいけない。
でも自分がもらって嬉しいものを贈りたい。
贈った相手があまり負担に思わないようなものを、
さりげなく、さりげなく。

この「さりげなく」というのは案外難しいもので、
さりげない贈りものをするには通い慣れたお店のものを
贈るのが一番、と思います。
がんばりすぎた贈りものって、とってつけたようで変ですからね。

贈る相手の顔を思い浮かべた時、
ぱっと思いつくお店が青山にはいくつかあります。
花だったらあのお店。お菓子だったらこのお店。
石鹸だったらここ、というような。
おつかいものを選ぶついでに、
ついつい自分の買い物をたくさんしてしまう
危険な街でもありますが。

ル・ベスベ

特別なプレゼントには花束を。
ル・ベスベの高橋郁代さんに、
「小さい花束に」とか「今日は白い花でまとめたい」とか、
贈る相手の方の雰囲気などをお伝えしたら、あとはおまかせ。
迷うことなくささっと手を動かして、
希望どおりの花束を作ってくれます。

15年来のおつき合い、
高橋さん。

「花をまとめる時は
あまり考えすぎてはだめよ」
と高橋さん。

その手の動きの速いこと！

使いやすそうな糸立て。

お店の2階にある髙橋さんの仕事部屋。
イギリスから大事に持って帰ってきたという
本、花器、空き瓶にリボン……
棚に置かれたたくさんの雑貨は
色ごとに分けられています。
そこはまさに「髙橋さんワールド」。

こっちにも。
部屋のあちこちに
さりげなく、さりげなく。

ここにも。

初めて会ったときのこと、仕事のこと、
お花のこと。
話し始めると止まらない。
パワフルな髙橋さんにお会いすると、いつも元気になります。

サンタ・マリア・ノヴェッラ

青山

13世紀のフィレンツェで修道院薬局だったのが、このお店の始まりなのだとか。
一歩中に入ると、教会を訪れているような厳かな雰囲気。
伝統的な製法で作られた歴史ある製品と
何世紀にもわたって守られてきたデザインは、
贈るだけではなく、自分へのプレゼントにも。

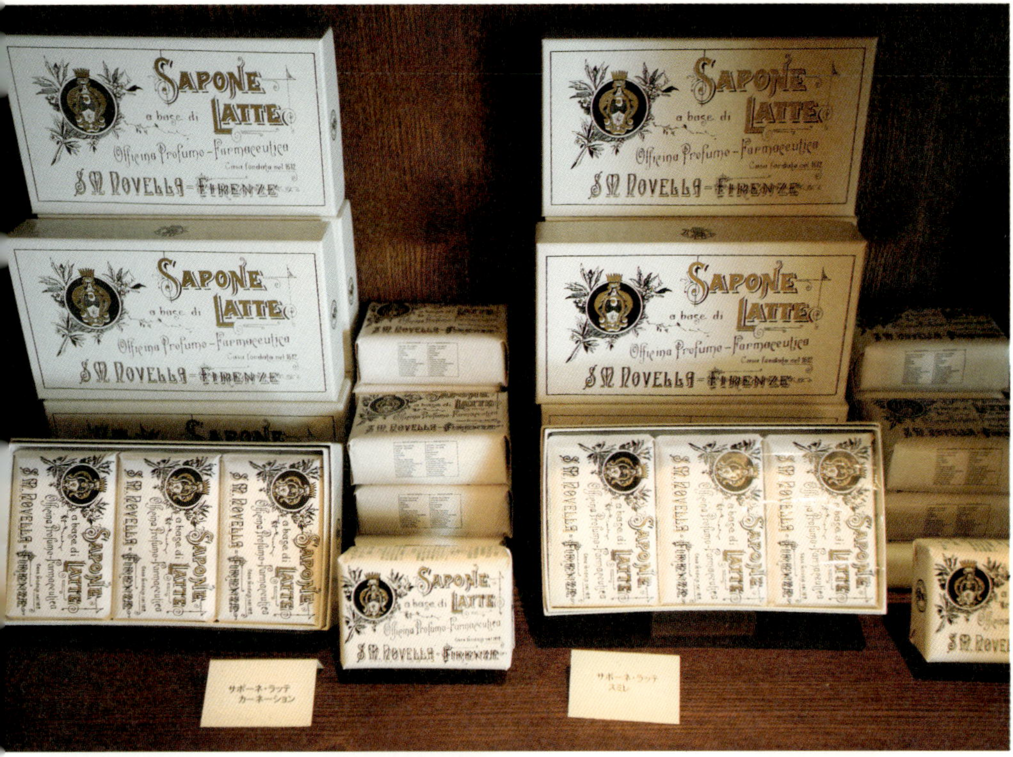

リバティのような小花模様が素敵なパウダー。

料理のあとの匂い消し、
アルメニア紙。

贈り物には
こんなリボンを
かけてくれます。

さんぽの収穫

「おいしい」の前に「見た目も素敵」というのも、
贈りものをする上でかなり重要。
青山にはシックなラッピングをしてくれるお店がたくさん。
なかでも選りすぐりの3軒がこちら。

「ピエール・エルメ・パリ」のマカロンは上品でありながらも、
片手でぱくりとつまめる手軽さがいい。
ローズ、カラメル、シトロンにピスターシュ。あなたのお気に入りはどれ？

黒豆のアンパン、「TANBAT」。
黒い箱の中で大事に大事に薄紙にくるまれた姿がいとおしい。
「デュヌ・ラルテ」にて。

マロン色の箱に、きりりとしまったこげ茶色のリボン。
小さな箱にはショコラが2粒、大きな箱にはジャムの詰め合わせが。
私のおつかいものの定番「ラ・メゾン・デュ・ショコラ」。

Map

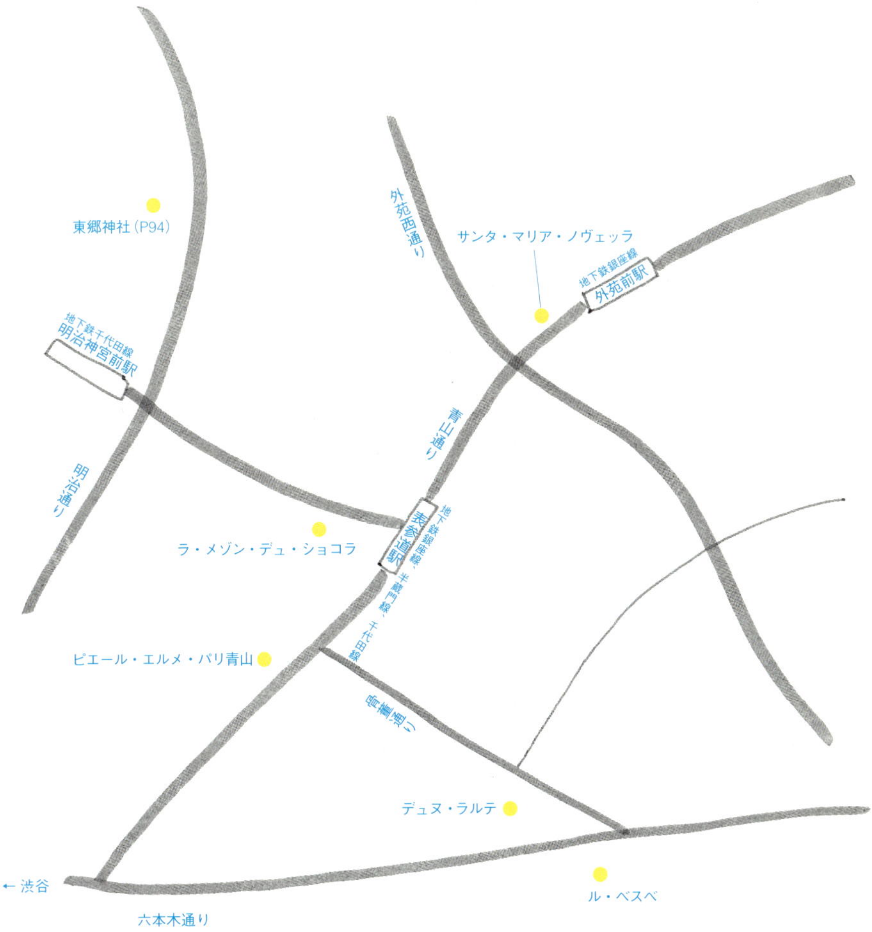
東郷神社（P94）
地下鉄千代田線
明治神宮前駅
明治通り
外苑西通り
サンタ・マリア・ノヴェッラ
地下鉄銀座線
外苑前駅
青山通り
地下鉄銀座線、半蔵門線、千代田線
表参道駅
ラ・メゾン・デュ・ショコラ
ピエール・エルメ・パリ青山
骨董通り
デュヌ・ラルテ
← 渋谷
六本木通り
ル・ベスベ

本郷

ああ、学食。

おいしいとかおいしくないとか、
おしゃれとかおしゃれじゃないとか、
そういう基準とはかけ離れたところに
あるような気がします。
学食って。

学食は学食。
学食だからおいしくて、学食だから楽しい。
学生でなくなってから15年以上経つ今でも、
時折、「ああ、なんだか学食で食べたいなあ」
そんなふうに思う日があるのです。
不思議です。

さて。今日は「東大の構内はステキ。」という
友だちの噂を聞きつけ本郷までやってきました。
三四郎池、総合図書館などなど、「絶対に行ってきてね」と
念押しされたところはあるけれど、一番気になるのは学食。
「ステキ。」は後のお楽しみにすることにして、
久しぶりの学食をまず体験しました。

東大学食

悩みに悩んでアジフライ定食に決定。
食券を買ったり、トレーを持って列に並んだり。
緑のトレーと下に引かれたビニールのクロス、色がぴったり！

地下の中央食堂を
上の渡り廊下から見下ろしたところ。
天井が高くて開放感がありました。

東大構内

本郷通りに面した有名な赤門。

図書館の一室には
こんなシャンデリアが。

総合図書館や安田講堂など歴史的な建物に囲まれて
勉強できる環境が羨ましい。
敷地内には学校帰りの小学生や犬の散歩をする近所の人の姿も見られ、
とってもオープンな雰囲気。

構内のベンチでひと休み。
絵になる場所がたくさん。

カサカサカサ……
一歩踏み出すたびに
落ち葉を踏むいい音が。
ここは、夏目漱石の小説で有名な
三四郎池。

弥生・竹久夢二美術館

東大のすぐ裏にある弥生美術館と竹久夢二美術館。
この時は1920年から30年代の絵雑誌を通して子どもたちの世界を知る
「こどもパラダイス」という企画展が行われていました。
懐かしさいっぱいの絵や装丁でありながらも、古さを感じさせない展示物の数々にびっくり。
おばあちゃんや子どもと一緒にくると、それぞれ反応が違っておもしろそうです。

「コドモノクニ」の表紙。
長靴からぴょこんと顔を出した
猫がかわいい。

当時の裕福な家庭の子供が遊んだという
おままごとセット。

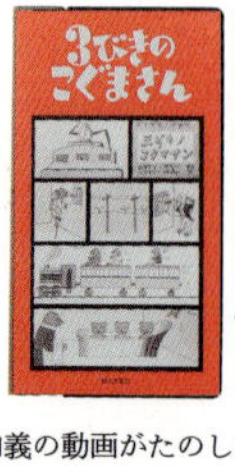

村山知義の動画がたのしい
「3びきのこぐまさん」の
ビデオ。（婦人之友社）

ストーリーには
衝撃の結末が！
初山滋著『たべるトンちゃん』
復刻版。（よるひるプロ）

喫茶ルオー

東大の正門を出ると、目の前にある喫茶ルオー。
店内には大学の研究室にいるような先生らしき男の人が
打ち合わせをしていたりして、落ち着いた空気が流れています。
こんな喫茶店が学校の近くにあるなんて、
私が東大生だったら毎日通ってしまいそう。

夕方になるとポッと明かりが灯ります。

カラフルなケーキ
たくさん。

大学紛争など、
この街の移り変わりを
見てきたという
店主の山下さん。

さんぽの 収穫

50年間使っているというカップの抜き型の椅子。
ちょっと秘密の香りが漂う、区切られた小さな空間。
2階の窓から見える東大構内の木々。
ルオーに行ったらぜひチェックしてほしい
物や場所がそこかしこにありました。
あ、そうそうこのマッチもね。

裏はこんなレンガ風の柄。

表は男の人の横顔。
出す時に覗くマッチの頭の赤い色と
箱の色や質感が絶妙なデザイン。

Map

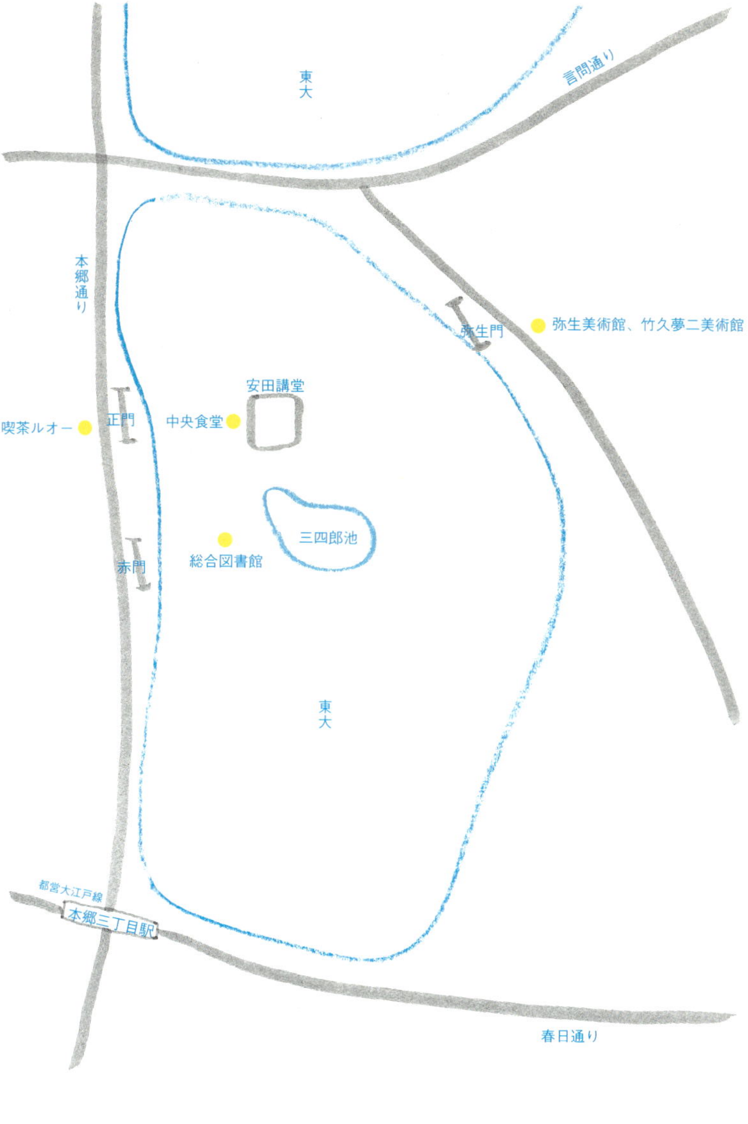
東大
言問通り
本郷通り
弥生門
弥生美術館、竹久夢二美術館
安田講堂
喫茶ルオー
正門
中央食堂
三四郎池
赤門
総合図書館
東大
都営大江戸線
本郷三丁目駅
春日通り

おまけの散歩

その四 国際子ども図書館

丸いテーブルとベンチを中心に
ぐるりと本棚に囲まれた「子どものへや」には、
絵本、昔話、童話の本など
子どもの興味をそそるような本がずらり。

国立では初めての児童書専門図書館として2000年にオープンした国際子ども図書館。
建築家、安藤忠雄氏らによるリノベーションが大きな話題となりました。
3階建ての建物はフロアごと、そして部屋ごとにテーマが分かれています。

この日、3階の「本のミュージアム」では「北欧からのおくりもの」展を開催中。
「この絵本って北欧のものだったんだ」という驚きの発見もあれば、
『長くつ下のピッピ』や『つきのぼうや』、ムーミンやアンデルセンなど、
子どもの頃に夢中になって読んだ懐かしい本も。
こんなふうに、子どもも大人も楽しめる展示が多いのも、この図書館の魅力なのです。

世界各国の地理や
歴史を知ることができる
「世界を知るへや」。

「北欧からのおくりもの」展。
トロル、ニッセ、トムテといった妖精など、
森深い北欧ならではの
主人公がたくさん。

年代ごと、国ごとに
レイアウトされた
見やすい展示。

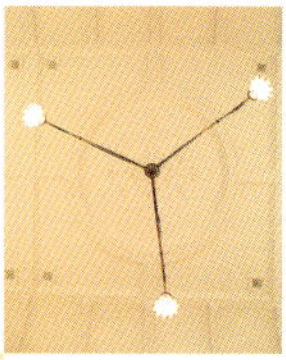

説明してくださったのは、
東海大学北欧学科の福井先生。
展示について語る時の
優しいまなざしが印象的でした。

今回の展示の図録。
北欧の子どもの本の
あゆみが詳しく
書かれています。

この棚ごと
家に持って帰りたい！
気になる絵本ばかり。

雰囲気ある2階の資料室は、
18歳未満は入ることができない、大人のための部屋。
子どもたちが絵本の読み聞かせを楽しんでいる間に、
大人はここで静かに本の世界にひたろう。

子どもたちの声で
賑やかな1階とは
別世界。

館内は大きな窓が
いたるところにあって、
明るい雰囲気。

外観。
建物に向かって
右部分には、
40万冊を所蔵するという
書庫があります。

高い天井、階段とその手すり、古い外壁、
昔ながらの窓ガラス……
古さと新しさが違和感なく混ざり合う空間。

築地

パレットクラブで一日先生になる

オサムグッズを知っていますか？
「ああ、知ってる。集めてた！」と思ったあなたは、多分私と同年代。
オサムグッズとは、イラストレーターの原田治さんが描く
シンプルでキュートなキャラクターグッズ。
中学生の私は、おこづかいを貯めてはせっせとオサムグッズを買っていたのです。

そんな原田治さんのイラストの学校「パレットクラブ」から
手作りの先生をやってみませんか？　と声をかけていただきました。
きっかけは原田さんのお嬢さん、原田綾さん。
私の本を見て「先生をやってほしい」、
そう思ってくれたのだそうです。

先生なんて私にできる？
何を教えればいいのかな？
不安に思いながらも、あの青春時代の憧れだった
原田治さんの学校ってどんなだろう？
いつもの好奇心がむくむくと沸き起こり、
この仕事をお引き受けすることにしました。

パレットクラブは
築地場外市場のはじっこにありました。
かつお節や野菜を買いにきたり、
仕事で使う食材を調達しにきたり。
市場には何度も足を運んでいたのに、
イラストの学校があるなんて全然知らなかったな。
綾さんいわく、「築地にはまだまだ知られていないお店や
おもしろい場所がたくさんあるんですよ」とのこと。
綾さんに案内してもらって築地探検に出かけることにしました。

200点あまりのグッズが載っている原田治さんの『オサムグッズ スタイル』。
シンプルなデザインのグッズに描かれたかわいいイラストたちを見て、
私が欲しかったキャラクターグッズってこれ！と感覚にぴたりとはまったのでした。

今年で31周年。
その間作られた商品は
1万点以上なのだそう。

今でも実家にあるお湯のみ。
ずっと使ってました。
懐かしい！

鮨処 寿司大

早朝、待ち合わせをしてまず向かった先は、場内・魚がし横丁のお寿司屋さん「寿司大」。
「はーい、いらっしゃーいっ」威勢のいい声に迎えられました。
まずはビールで乾杯、そしていざお寿司へ。
金目鯛は昆布〆、ひらめには塩とすだち……。
「ひとつひとつのネタにぴったりな仕事をしてます」と大将。

まだかな？
わくわくしながら並びます。

南米ボリビアの塩!?

おいしいね。
ぱくり、ごくり。

茂助だんご

同じく魚がし横丁にあるお団子屋さん。
こしあん、つぶあん、醬油の３種類はどれもお勧めです。
北海道の有機栽培の小豆で作るあんこと、自家製粉したうるち米を使った
こだわりのお団子は、なんと一日に1000本も売れるのだそう。

せっせと作っては
次々売れていくお団子。

午前中に
売り切れてしまうこともあるとか。
要注意。

水産物部仲卸

こちらは水産物を扱う仲卸。
大きな建物の中に入っていくと床は水びたし、氷も散らばっています。
長靴をはいてきて大正解。ターレットという電動三輪車やバイクが縦横無尽に走り、
ぼやぼやしていると怒られそうな雰囲気ですが……。

綾さんのお友だちが
店長を務める魚屋さん、
原由。

氷がたくさん。

素人は入ってはいけないのかと思っていた場内の仲卸。
でも、「そんなことはないですよ。魚一匹から小売りしますよ」
と原由の店長、小松さん。
メニューの相談にものってくれ、頼もしい存在。

並んだ魚は本当に新鮮。

メニュー相談中。
綾さんは
魚の目をチェック中？

喫茶マコ

シェイカーを振る姿が
かっこいいマコさん。
同じ「まさこ」つながりで
なんだか親近感が。

場内でプロの仕事を見たあとは、一般客が行きやすい場外へ。
人ごみを抜け出して、小さな路地の奥にある喫茶マコへと向かいます。
店名の「マコ」とは、この道46年という店主・熊谷昌子さんの愛称。
外の喧噪が嘘のように静かな店内で、
ミルクたっぷりのカフェオレを飲んでほっと一息。

開店以来、
内装はほぼ当時のままだそう。
しばらく休んだら
「次はどこに行く？」

場外市場

場外市場に出ると、狭い道の両側には八百屋、魚屋、肉屋などに交ざって
調理道具のお店や器屋さんなどがあって興味津々。
綾さんのお勧めは、昆布の「吹田商店」やうどん屋「虎杖」。
「コーヒーショップヨネモト」のソフトクリームもおいしいんですって。

ネコ

築地でいつも買うのは
かつお節。
これでおだしのきいた煮物を作ります。

形が好きなろう引きの袋（右）と
綾さんが
「使い勝手がよくてイラストもかわいい」と
太鼓判を押すティッシュ（左ふたつ）。

パレットクラブ

和田誠さん、杉浦さやかさん、安西水丸さん……
多彩な顔ぶれの講師陣が揃った美術教室、パレットクラブ。
私が担当したのは手作りの授業。クリスマスが近かったので、
ツリーに飾る靴下を作りました。
授業終了後、みんなで記念撮影をぱちり。

こちらは先生の待合室？　のバー。
授業の前後に先生が一息つく場所。

そっと出してくれたのは、
りんごのリキュール。

さんぽの収穫

場外の八百屋さんで見つけたのは小さな小さなかぶ、「芽かぶ」。
職人さんはお茶席用に、この小さな白い根の部分を六角形に包丁で形作るのだとか。
それはできそうにもないので、かぶのポタージュスープの飾りにしてみました。

葉の部分を少し残して切り、さっと洗います。

少し固めに塩ゆでします。

ポタージュに浮かべて、
はい、できあがり。

Map

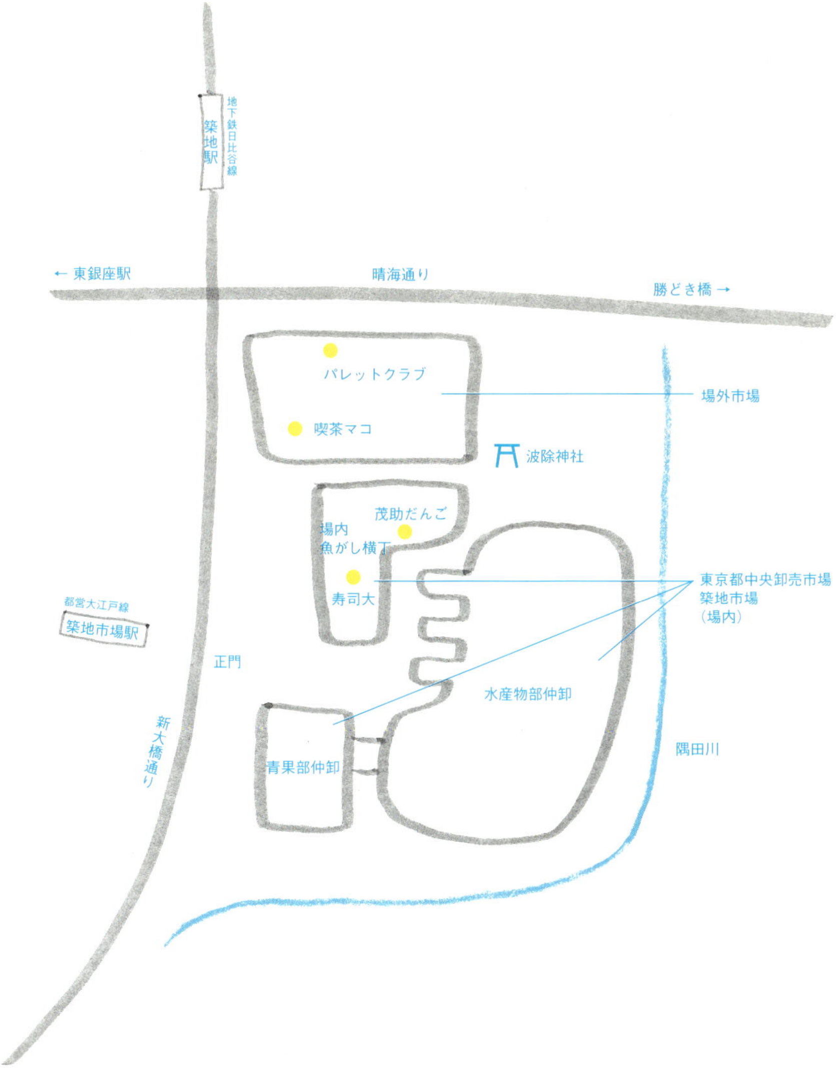

地下鉄日比谷線
築地駅
← 東銀座駅
晴海通り
勝どき橋 →
パレットクラブ
場外市場
喫茶マコ
波除神社
茂助だんご
場内
魚がし横丁
寿司大
東京都中央卸売市場
築地市場
(場内)
都営大江戸線
築地市場駅
正門
水産物部仲卸
新大橋通り
隅田川
青果部仲卸

代々木上原

一人暮らしをしたならば

お気に入りの食器を揃えよう。
朝は焼きたてのパンを買いに行って
のんびりとコーヒーを淹れ、
夜は時間を気にしないで、
友だちとお酒を飲みに行ったり、長電話したり。
休日はパジャマのままで一日中だらだらと本を読んでいたい。
そんなことを思っていました。

スタイリストとして独立して間もなく、
実家の建て替えがきっかけとなり
憧れの一人暮らしが実現することに。
近くにカフェもあるし、
家の前にはお花屋さんと魚屋さん。
駅から徒歩2分。
住みやすそう！
そう思ってここ、代々木上原に小さなお部屋を借りました。
24歳の時のことです。

実際には毎朝焼きたてのパンを買いに……とはいきませんでしたが、
友だちと、時にはひとりで気軽にごはんを食べに行けるような、
そんなお店がひとつふたつと増えていきました。
なかでもジーテンは一番通ったんじゃないかな？
仕事で疲れたり、たまに母の料理が恋しくなったりした時に、
ちょこちょこ食べに行っていました。
「水も調味料」と言う吉田さんの優しい味の中華に癒されていたんですね。
ありがとう、吉田さん。

ジーテン

「あれから試作を繰り返してバージョンアップしたんだよ」という
亀ゼリーをパクリ。「うん。たしかにすごくおいしくなった！」
久々に会っても、ひさしぶりという気がしない店主の吉田さん。
親戚のお兄さんというかんじ？

この日のランチは
マコモダケと豚肉の炒め物、
かぼちゃとおくらのフリッター、
ほうれん草とささみの和え物に、
蒸しギョウザ。
ごはんが進みそう。

インゲンのカラカラ炒めは
「疲労回復」。
鮭のせ蒸し肉は
「美肌」。

昔話に花が咲く。

イエンセン

毎日、午前２時起き。
パン作りの作業は
すべてひとりでこなす、と言う
店主の和田さん。

パンを売る、
お母さまと奥さま。

朝起きたらまずはここで
焼き上がったばかりのサクサクのペストリーを調達し、
家で朝ごはん。そして元気に仕事へ！
私の一人暮らしの朝を充実させてくれたイエンセンは
ずっと変わらず街角に佇んでいました。

店内には
デンマークの雑誌が。
写真の青年は
若かりし頃の和田さん？

サクサク、パリパリ……
見るだけで音が伝わってきそうな
ペストリーやパン。
お気に入りは、
けしの実がのったスモービアキス。

小さな姿が愛らしい
ペストリー。
お土産にいかが？

早めに行かないと、
お目当てのパンはすぐに
なくなってしまいますよ。

日本民藝館

開館してから70年、日常の暮らしの中で美しいとされるものを
常に見つめ、紹介、展示してきた日本民藝館。
庶民の暮らしから生まれた工芸品は素朴でいて正直、そして美しい。
自分の暮らしについてふと立ち止まって考えさせられる、
私にとって民藝館はそんな存在。

館内は、
淡い自然光とライトの
優しい光に
包まれています。

玄関を入ると目の前に、
右と左に分かれる大きな階段が。
吹き抜けの空間に
吸い込まれそうになりながら
２階へ。

ボーン、ボーン。
柱時計は今も現役。

私の質問にひとつひとつ、
ひもとくように説明してくれる
学芸員の杉山さん。

私たちの耳にすっかり馴染んだ「民藝」という言葉は、
「民衆的な工藝」の略、ということを知っていましたか？
柳宗悦らがこの言葉を作り、
それらの工藝品を紹介する場をここ、駒場に作りました。
柳さんらの提唱した民藝運動によってその後、
日本全国に民藝館ができたのだとか。

広くもなく、狭くもなく。
縦横のバランスがとれている
居心地いい空間。

お椀、片口、皿……
漆器が並ぶ棚。

特別展の部屋に飾られていたのは、戦後作られたという沖縄の伝統的な着物。
汗をかいてもさらりとした肌触りの芭蕉や麻は、
高温多湿の沖縄の風土に一番適した繊維なのだとか。

こちらは子ども用の絹の着物。
繊維をほぐして
縦糸と横糸の織り方を研究し、
復元したもの。

いかに物を美しく見せるか
ということにこだわったという館内。
ディスプレイの仕方にも
細かい気配りが。

障子を通して淡い光が差し込む２階。
生活のぬくもりを感じさせる。

2階から見下ろしたところ。
私の日の前が玄関です。

ホームスパン

ホームスパンの甲斐さん、原さん、坂本さんは
学生時代の同級生。
卒業後、私はスタイリストのアシスタントになり、
みんなはアパレルに就職しました。
その後、私はスタイリストに。
甲斐さんたちは「好きなことをやっていこう」と
ホームスパンを立ち上げたのです。
スタイリストと洋服屋さん。
仕事は違うけれど、好きなことを続けているのはみんな同じ。
好きなものを大切にする気持ちも同じ。
たまにしか会えないけれど、
これから先もずっと変わらない関係が続いていくんだろうな。

ただ今、試着中。

試着完了！

さりげないディスプレイは
誰担当？

棚に並んだ
きれいなウール生地は、
「アメリカン・フックド・ラグ」
というラグの材料。

アメリカン・
フォークアートミュージアムで
手に入れたというお人形。

お店の隣は、みんなの趣味の部屋？
（いえいえ、れっきとしたお仕事部屋です）
数字模様のフックド・ラグは
坂本さんがデザインを考え、
原さんが一針一針、
フックしていったものだとか。
根気のいる作業だけれど、
みんなでお喋りしながら
手を動かすのは楽しそう。

もうすぐ完成？　かわいいね。
私も作ってみようかな。

さんぽの収穫

「ああ、手土産、買い忘れてしまった！」なんて時でも大助かりだった、
早起きパン屋さんイエンセン。
出かける前にペストリーやチーズケーキを調達し、
「焼きたてですよ」と言ってはちょっと自慢顔。
そしてみんなとっても喜んでくれました。

白い箱に赤いリボン。
?
なんだかどこかで見たことあるような。
そうです。イエンセンの店内のあちこちに飾られたデンマークの国旗が、
赤に白の十字のラインなのでした。
パンだけでなくラッピングにもデンマークの香りが。

Map

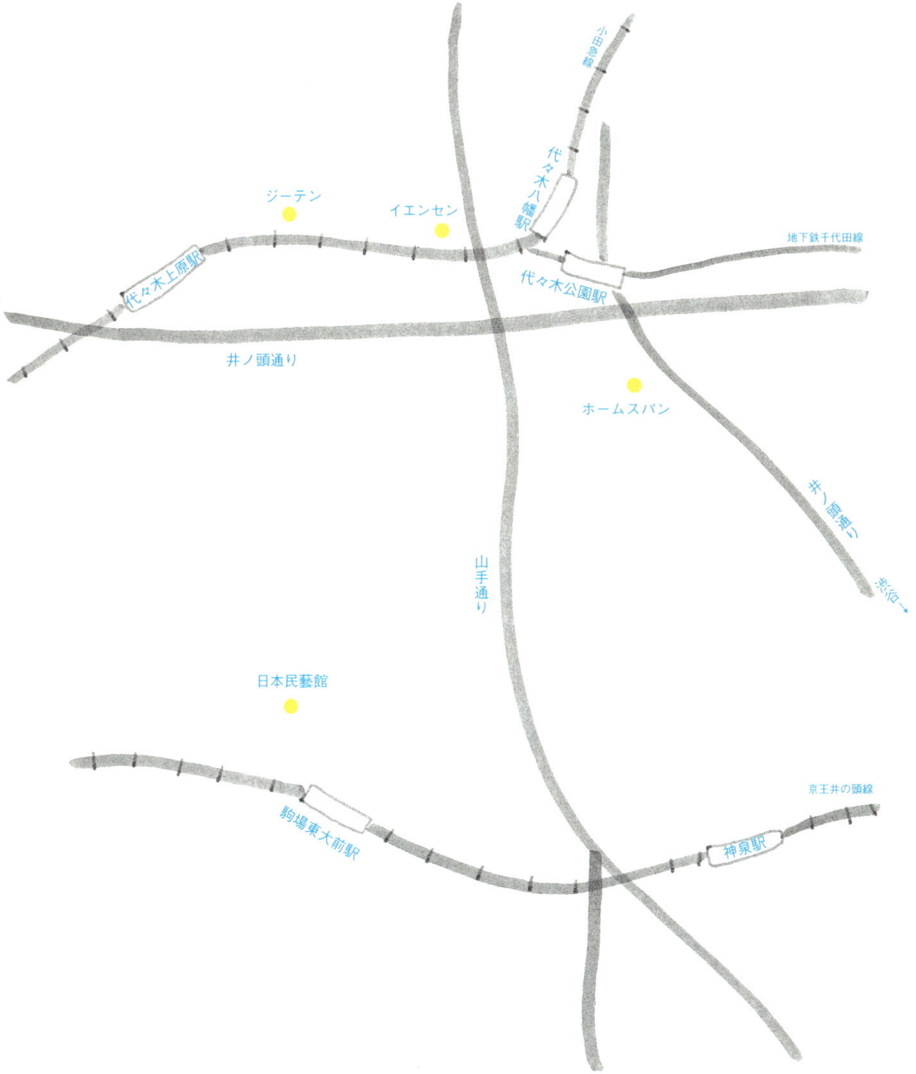
小田急線
代々木八幡駅
ジーテン
イエンセン
地下鉄千代田線
代々木上原駅
代々木公園駅
井ノ頭通り
ホームスパン
井ノ頭通り
渋谷→
山手通り
日本民藝館
京王井の頭線
駒場東大前駅
神泉駅

神楽坂

ここは東京のパリ？

街を歩けば「ボンジュール！」
歩道を渡る子どもに「アタンシオン！（危ないわよ！）」とお母さん。
フランス語が飛び交うここは、神楽坂。
夕方には料亭へ向かう芸者さんを見かけることもある、
日本情緒漂うこの街に、なぜフランス語？？

……と不思議に思っていたところ、
住んでいる人にこんなお話を聞きました。

コンパクトにまとまった街並に石畳、
古い文化を大切にするところなど、
神楽坂にはどこかフランスのエスプリを漂わせる雰囲気があるとのこと。
リセやフランス語学校があることも手伝って
自然とフランス人が多く住むようになってきたのだとか。

ふむふむ。
そういえば、街にあまりにとけ込んでいたので気がつかなかったけれど、
料亭や古くからの商店の間に
クレープ屋さんやチーズ屋さんが違和感なく混じっていますものね。

日本の粋とフランスのエスプリ。
ふたつが共存する東京のパリ、神楽坂。
パリジェンヌ気取りで石畳を歩いてみては？

大阪寿司 大〆

今日はおやつにそば粉のガレットを食べるつもりだから、お昼ごはんはさっぱりと。
ここ、大〆は大阪寿司のお店です。
もともとは家庭の味だったという大阪寿司、
江戸前の握りとはまた別の、優しくほっとするおいしさがありました。

暖簾をくぐると
その先には？

お寿司屋さんとは思えない内装にびっくり！

小路苑

赤城神社の前を通り、ゆるやかな坂道を少し下ったところで、
お店の前にいくつも並べられた草盆栽が目に飛び込んできました。
ここは芸者さんも御用達のお花屋さん、小路苑。
今日は自分のために花束を作ってもらおう！

これを持って街を歩いていたら、
「どこのお花屋さんのものですか？」
と訊かれました。

店主、吉田さん。

吉田さんにそっくり？
看板娘のユキちゃん。

ふたりは仲良し

ラ・ロンダジル

築50年という2階建ての店舗は、元呉服屋さん。
すっきりとした店内には、
20代から30代の若い作家さんの器が並んでます。
店主の平盛さんとは以前、松本のクラフトフェアで偶然お会いしたことが。
そうか、平盛さんはお店に置く商品を
こうやって日本中旅して探しているんだ。

ちょこちょこ行われる
作家さんの展示会も、
要チェックです。

小さなちゃぶ台

この引き出し、
いいなあ。
欲しいなあ。

2階の平盛さんの住居部分におじゃましました。
児童書の他、司馬遼太郎、柳田邦男の本が並ぶ本棚。

看板息子の
ベルくん。

店主の平盛道代さん。

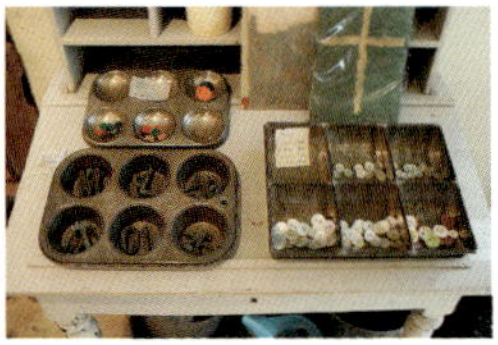

お菓子の型にボタン……
なるほど。

ル ブルターニュ神楽坂店

フランス北西部の大西洋に面した半島、ブルターニュ地方。
この地方の名物が、そば粉のガレットです。
ガレットの味もお店の内装も、ここはまるでブルターニュ！
フランス人のお客さんも多く、フランスを旅しているような気分になれますよ。

かりっとした生地がたまらない。

ガレットに合わせて頂いた、
りんごの発泡酒シードル。

器などの焼き物はすべてブルターニュのもの。
ぽてっとした表情がなんだか素朴。

右の蹄鉄はお店のおまもり。

今日は
「塩バターキャラメルのガレット」を注文。
甘くないガレット
「コンプレット」もいけます。

毘沙門天
善國寺
毘沙門天
善國寺
毘沙門天
善國寺

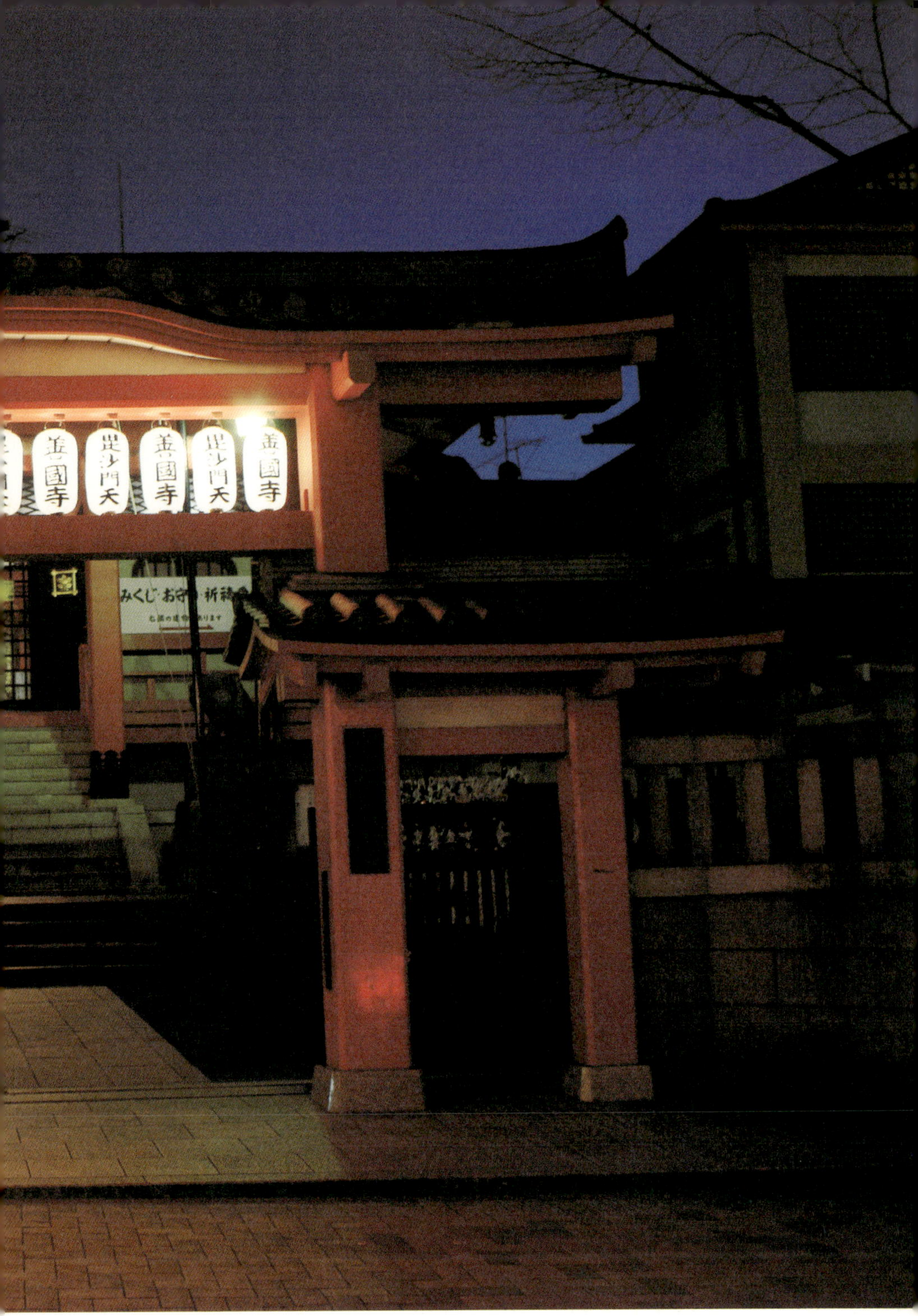
善國寺
毘沙門天
善國寺
毘沙門天
善國寺
みくじ・お守り・祈禱

さんぽの収穫

アルパージュでチーズを買ったらベッカーへ。
ベッカーで焼きたてパンを買ったら包みを抱えて電車に乗ります。
明日のおやつは、アイスクリームのキャラメルクリームがけにしようかな？
まだまだ続く、神楽坂の「おいしい」さがし。

ベッカーで見つけたドイツパン。
ころり、くるくる
……形がかわいいパンたち。

袋のデザインも
好きです。

塩バターのキャラメルは娘へのお土産。
私だけガレットを食べたことは娘にはナイショ。

とろーり、あまーい
キャラメルクリーム。
こちらも「ル ブルターニュ」で。

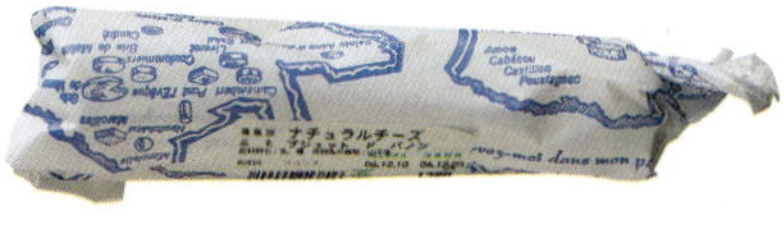

この包み、
中身は食べごろの
シェーヴル（山羊のチーズ）です。

冬にしか食べることのできないチーズ、
モンドール。温めてとろりとしたところを
バゲットにつけて。

Map

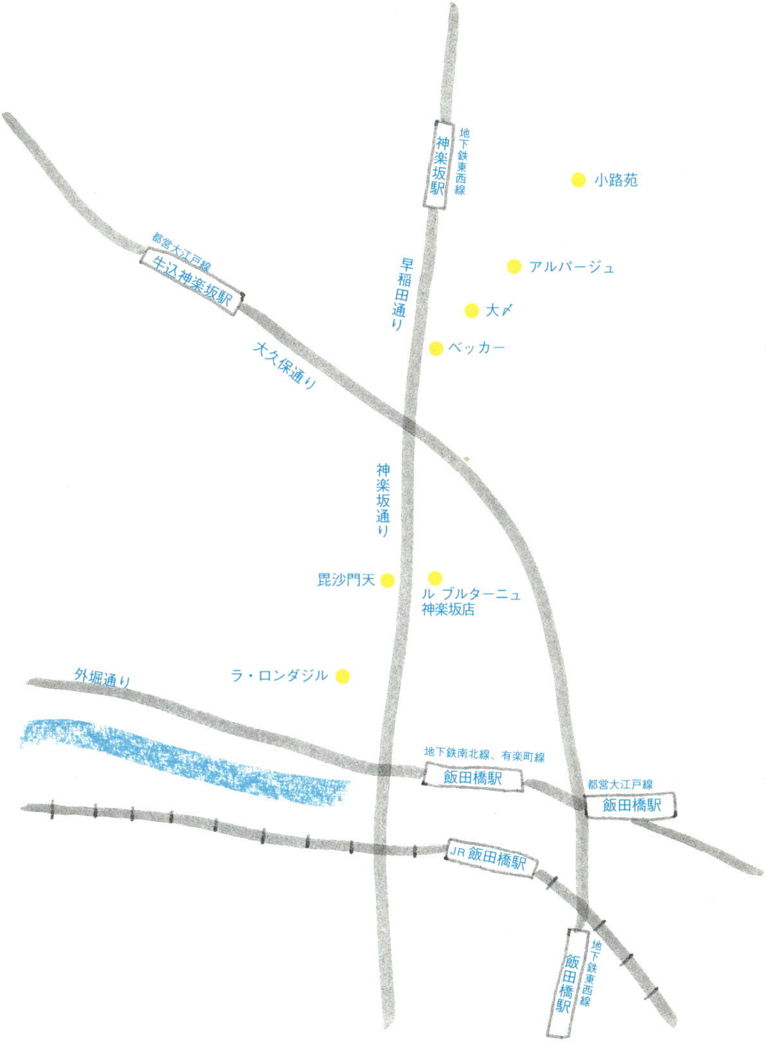

地下鉄東西線
神楽坂駅
小路苑
都営大江戸線
牛込神楽坂駅
早稲田通り
アルパージュ
大〆
ベッカー
大久保通り
神楽坂通り
毘沙門天
ル ブルターニュ
神楽坂店
ラ・ロンダジル
外堀通り
地下鉄南北線、有楽町線
飯田橋駅
都営大江戸線
飯田橋駅
JR 飯田橋駅
地下鉄東西線
飯田橋駅

おわりに

いろんな街に行きました。
いろんな人に会いました。
訪れた街を思い出すと、
必ずそこで出会った人の顔を思い出します。
とても素敵なことです。

それにしても家から自転車で10分のところもあれば、
車で3時間のところも。
なじみの場所もあれば、旅気分の場所もありました。
まだまだ行ってない場所、行きたい場所もたくさんあります。

東京は広いなあ。

散歩で行ったところのリスト（データは2007年3月現在のものです）

●吉祥寺

ギャラリー fève —— P.6～7

武蔵野市吉祥寺本町2－28－2　2F
☎ 0422－23－2592
開廊時間　12：00～19：00
展覧会期間のみオープン

ダンディゾン（パン） —— P.8, P.14

武蔵野市吉祥寺本町2－28－2
☎ 0422－23－2595
営業時間　11：00～19：00
休み　水曜、第1・3火曜

お茶とお菓子 横尾 —— P.9

武蔵野市吉祥寺本町2－18－7
☎ 0422－20－4034
営業時間　12：00～20：00
休み　火曜、第3月曜

トムズボックス（児童書、絵本） —— P.11, P.15

武蔵野市吉祥寺本町2－14－7
☎ 0422－23－0868
営業時間　11：00～20：00
休み　木曜

A.K Labo（フランス菓子） —— P.12

武蔵野市吉祥寺本町4－25－9
☎ 0422－20－6117
営業時間　11：00～19：00
休み　水曜

Roundabout（雑貨） —— P.13

武蔵野市吉祥寺南町1－6－7　2F
☎ 0422－47－5780
営業時間　月曜、水曜～金曜　13：00～20：00
　　　　　土曜、日曜　12：00～20：00
休み　火曜

●根津・谷中

根津　金太郎飴 —— P.22

文京区根津1－22－12
☎ 03－5685－3280
営業時間　9：30～18：30
休み　月曜

㐂久月（和菓子） —— P.23, P.30

台東区谷中6－1－3　言問通り
☎ 03－3821－4192
営業時間　9：00～18：00
休み　火曜

朝倉彫塑館 —— P.24～25

台東区谷中7－18－10
☎ 03－3821－4549
開館時間　9：30～16：30
休み　月曜、金曜（祝日の場合は翌日）、12/29～1/3

いせ辰　谷中店（千代紙） —— P.26～27

台東区谷中2－18－9
☎ 03－3823－1453
営業時間　10：00～18：00
休み　元日のみ

下町風俗資料館付設展示場　旧吉田屋酒店 —— P.28

台東区上野桜木2－10－6
☎ 03－3823－4408
開館時間　9：30～16：30
休み　月曜（祝日の場合は翌日）、12/29～1/3

SCAI THE BATHHOUSE（ギャラリー） —— P.28

台東区谷中6－1－23　柏湯跡
☎ 03－3821－1144
開廊時間　12：00～19：00
休み　日曜、月曜、祝日

谷中せんべい —— P.28

台東区谷中7－18－18
☎ 03－3821－6421
営業時間　9：30～18：20
休み　火曜

丁子屋（洗い張りと染め物）—— P.29

文京区根津2‐32‐8
☎ 03‐3821‐4064
営業時間　10：30～19：00
休み　月曜、火曜

根津のたいやき —— P.30

文京区根津1‐23‐9
☎ 03‐3823‐6277
営業時間　10：30～売り切れまで
休み　火曜、金曜（平日に不定休あり）

● 二子玉川

静嘉堂文庫美術館 —— P.33～34

世田谷区岡本2‐23‐1
☎ 03‐3700‐0007
開館時間　10：00～16：30（入館～16：00）
休み　月曜（祝日の場合は翌日）、展覧会期間以外
（8～9月、12～2月上旬などは長期休館）

旧小坂邸（瀬田四丁目広場）—— P.35

世田谷区瀬田4‐41‐21
開館時間　9：30～16：30
休み　月曜（祝日の場合は翌日）、
年末年始（12/28～1/3）

次大夫堀《じだゆうぼり》公園民家園 —— P.36～37

世田谷区喜多見5‐27‐14
☎ 03‐3417‐8492
開園時間　9：30～16：30
休み　月曜（祝日の場合は翌日）、
年末年始（12/28～1/4）、元日は開園

KOHORO（器、生活雑貨）—— P.38～39, P.42

世田谷区玉川3‐12‐11　1F
☎ 03‐5717‐9401
営業時間　11：00～19：00
休み　水曜（祝日の場合は営業）
※展示会がある場合はオープン

リゼッタ（服、雑貨とカフェ）—— P.40

世田谷区玉川3‐9‐7
☎ 03‐3707‐9130
営業時間　10：30～19：00
休み　水曜

リネンバード二子玉川 —— P.41

世田谷区玉川3‐12‐11
☎ 03‐5797‐5517
営業時間　10：30～19：30
無休（休日となる場合はホームページで告知）

● 中目黒・自由が丘

COW BOOKS 中目黒（古書）—— P.45

目黒区青葉台1‐14‐11 コーポ青葉台103
☎ 03‐5459‐1747
営業時間　13：00～21：00
休み　月曜

& STRIPE（ボタンとパーツ）—— P.46

目黒区青葉台1‐25‐3　小野ビル1F
☎ 03‐3714‐3733
営業時間　11：30～19：30
休み　祝日をのぞく第1・第3火曜

リーノ・エ・リーナ自由が丘店（リネン）—— P.47

目黒区自由が丘2‐14‐15　1F
☎ 03‐3723‐4270
営業時間　11：00～19：00
無休

● 田園調布・等々力

パテ屋 —— P.49～51, P.60

世田谷区玉川田園調布2‐12‐6
営業時間　11：00～18：00
休み　月曜、第2火曜、祝日、
夏休み（8/1～8/31）、冬休み（1/1～1/15）

えんがわ（カフェ）—— P.52～53

世田谷区玉川田園調布2‐12‐6　1Fテラス
☎ 03‐3722‐5007
営業時間　11：00～18：00
休み　日曜、月曜、祝日、夏休み、冬休みあり
※毎月第3金曜日は15：30から営業

オーボンヴュータン（フランス菓子）—— P.58～59

世田谷区等々力2－1－14　原田ビル1F
☎ 03－3703－8428
営業時間　9：00～18：30
休み　水曜（祝日の場合は翌日）

●浅草

ペリカン（パン）—— P.66～67, P.72

台東区寿4－7－4
☎ 03－3841－4686
営業時間　8：00～18：00
休み　日曜、祝日

ほていや 中塚商店（豆）—— P.68

台東区寿4－14－7
☎ 03－3841－0245
営業時間　月曜～土曜　8：00～19：00
日曜　12：00～18：00
休み　正月三が日、三社祭の3日間

言問《こととい》団子 —— P.69

墨田区向島5－5－22
☎ 03－3622－0081　3622－5010
営業時間　9：30～18：00
休み　火曜

アンヂェラス（喫茶店）—— P.70～71

台東区浅草1－17－6
☎ 03－3841－2208
営業時間　10：00～21：30
休み　月曜

ほおずき市 —— P.74～77

台東区浅草2－3－1　浅草寺境内
☎ 03－3842－0181（浅草寺）
毎年7月9日、10日
6：00～20：00ごろまで　雨天決行

●青梅

玉堂美術館 —— P.78～79

青梅市御岳1－75
☎ 0428－78－8335
開館時間　12～2月　10：00～16：30（入館～16：00）
3～11月　10：00～17：00（入館～16：30）
休み　月曜（祝日の場合は翌日）、
年末年始（12/25～1/4）、9月に臨時休あり

●西荻窪

ピンドット（布）—— P.82～83

杉並区松庵3－39－11　シティコープ西荻202
☎ 03－3331－7518
営業時間　12：00～19：00
休み　月曜、火曜

こけし屋（洋菓子、フランス料理）—— P.84～87, P.92

杉並区西荻南3－14－6
営業時間　11：00～22：00（レストラン）
休み　火曜
「グルメの朝市」は別館前駐車場にて、
毎月第2日曜8：00～11：00開催

アイスクリーム工房 ぼぼり —— P.88

杉並区西荻南2－23－8
☎ 03－3333－9910
営業時間　11：00～22：00
休み　月曜（祝日の場合は翌日）
7、8月無休

無《ぶ》相創《あいそう》（骨董品）—— P.89

杉並区西荻北3－42－5
☎ 03－3301－2357
営業時間　12：00～20：00
休み　火曜

ハートランド（古本）—— P.90～91

杉並区西荻北3－12－10
☎ 03－5310－2520
営業時間　13：00～20：00
休み　水曜

● 青山

ル・ベスベ（花）—— P.97～99

港区南青山7-9-3
☎ 03-5469-5438
営業時間　11：00～18：00
休み　火曜

サンタ・マリア・ノヴェッラ（香り）—— P.100～101

港区北青山2-13-5
青山サンクレストビル1F
☎ 03-3408-2008
営業時間　11：00～20：00
不定休

ピエール・エルメ・パリ青山（フランス菓子）—— P.102

渋谷区神宮前5-51-8
ラ・ポルト青山1・2F
☎ 03-5485-7766
営業時間　月曜～金曜　11：00～21：00
土曜、日曜、祝日　11：00～20：00
不定休
※パッケージは季節によって異なります。

デュヌ・ラルテ（パン）—— P.102

港区南青山6-13-9　アニス南青山2F
☎ 03-5464-2604
営業時間　11：00～20：00
休み　水曜

ラ・メゾン・デュ・ショコラ 表参道店 —— P.102

港区北青山3-6-1　ハナエモリビル1F
☎ 03-3499-2168
営業時間　10：30～19：00
休み　年末年始（12/31～1/3）

東郷神社の骨董市 —— P.94～95

渋谷区神宮前1-5-3　東郷神社境内
☎ 03-3425-7965（椎名孝）
毎月第1日曜　5：00～15：00ごろまで
雨天中止

● 本郷

弥生美術館 —— P.110

文京区弥生2-4-3
☎ 03-3812-0012
開館時間　10：00～17：00（入館～16：30）
休み　月曜（祝日の場合は翌日）

竹久夢二美術館 —— P.110

文京区弥生2-4-2
☎ 03-5689-0462
開館時間　10：00～17：00（入館～16：30）
休み　月曜（祝日の場合は翌日）
※二つの美術館は同じ敷地内に並んで建ち、渡り廊下でつながっています。

喫茶ルオー —— P.111～112

文京区本郷6-1-14（東大正門前）
☎ 03-3811-1808
営業時間　月曜～金曜　9：30～20：00
土曜　9：30～17：00
休み　日曜、祝日

● 上野

国立国会図書館 国際子ども図書館 —— P.114～117

台東区上野公園12-49
☎ 03-3827-2053
開館時間　火曜～日曜（2階の資料室は日曜休室）、
こどもの日（5月5日）
9：30～17：00
休み　月曜、祝日、毎月第3水曜、
年末年始

● 築地

築地場内市場、場外市場

場内は午前6時ごろが一番活気づくプロの市場。場内にある水産物部仲卸エリアは、プロの売買が終わった9時以降に行ったほうが無難。場内より一般客が行きやすいのが場外。市場はお昼過ぎに閉まるお店が多いのでご注意ください。

鮨処　寿司大（場内・魚がし横丁）—— P.120

中央区築地5-2-1　築地中央卸売市場内6号館
☎ 03-3547-6797
営業時間　5：00～14：00
休み　日曜、祝日、休市日

茂助だんご（場内・魚がし横丁）—— P.121

中央区築地5－2－1　築地中央卸売市場内1号館
☎ 03－3541－8730
営業時間　5：00～12：30
休み　日曜、祝日、休市日

喫茶マコ（場外）—— P.124～125

中央区築地4－9－7　中富ビル2F
☎ 03－3541－0502
営業時間　10：30～15：30
休み　日曜、祝日、休市日

パレットクラブ（場外にある美術教室）—— P.118～119, P.127

中央区築地4－11－10
☎ 03－3542－8099
http://www.pale.tv/

● 代々木上原

ジーテン（中国家庭料理）—— P.131

渋谷区西原3－2－3
☎ 03－3469－9333
営業時間
月曜、水曜～土曜　12：00～14：30、
18：00～22：00
日曜、祝日、第2水曜　18：00～22：00
休み　火曜

イエンセン（デンマークのパン）—— P.132～133, P.140

渋谷区元代々木町4－3
☎ 03－3465－7843
営業時間　月曜～金曜　6：50～19：00
土曜　6：50～16：00
休み　日曜、祝日

日本民藝館 —— P.134～137

目黒区駒場4－3－33
☎ 03－3467－4527
開館時間　10：00～17：00（入館～16：30）
休み　月曜（祝日の場合は翌日）、
展示替え期間、年末年始

ホームスパン（服）—— P.138～139

渋谷区富ヶ谷1－19－7
コーポ・ラ・フォーレ富ヶ谷1F
☎ 03－5738－3310
営業時間　12：00～19：00
休み　土曜（第4土曜のみ営業）、日曜、祝日

● 神楽坂

大阪寿司　大〆《おおじめ》 —— P.144

新宿区神楽坂6－8
☎ 03－3260－2568
営業時間　11：00～16：00
休み　月曜（月1回不定期で日曜が休み）

小《こう》路《じ》苑《えん》（花、草盆栽）—— P.145

新宿区赤城元町3－4
☎ 03－5261－0229
営業時間　月曜～土曜　11：30～20：00
日曜、祝日　14：00～20：00
不定休

ラ・ロンダジル（手仕事の器と雑貨）—— P.146～147

新宿区神楽坂3－4
☎ 03－3260－6801
営業時間　12：00～19：00
休み　日曜、月曜

ル ブルターニュ神楽坂店（ガレット）—— P.148～149, P.152

新宿区神楽坂4－2
☎ 03－3235－3001
営業時間　火曜～土曜　11：30～22：30
日曜、祝日　11：30～21：00
休み　月曜

ベッカー（ドイツパン）—— P.152

新宿区神楽坂6－8－30
☎ 03－3513－7866
営業時間　8：00～20：00　月1回不定休

アルパージュ（チーズ）—— P.152

新宿区神楽坂6－22
☎ 03－5225－3315
営業時間　月曜～土曜　11:00～20:00
日曜、祝日　11:00～19:00　無休

伊藤まさこ

1970年、神奈川県横浜市生まれ。文化服装学院でデザインと洋裁を学び、料理や雑貨など暮らしまわりのスタイリングを中心に活躍。現在はその抜群のセンスを生かして、書籍や雑誌づくりに携わる。毎日の生活を大切にする姿勢が、多くの女性たちの共感を呼んでいる。趣味は旅行とおいしいものを食べること。パリへの一人旅は10代のころからという行動派である。『Robe Rouge　ロブ ルージュ』(世界文化社)、『母のレシピノートから』(講談社)、『ボンジュール！　パリのまち』(集英社)、『毎日ときどきおべんとう』(PHPエディターズ・グループ) など著書多数。

本書は、文藝春秋ホームページ・サイバークレア (http://www.cybercrea.net/)「伊藤まさこの東京てくてく日記」(2005年7月～2006年6月) の連載に追加取材のうえ、大幅に加筆・修正しました。

ブックデザイン —— 渡部浩美
写真 ———————— 杉山秀樹

東京《とうきょう》てくてくすたこら散歩《さんぽ》

2007年5月10日　第1刷発行
2007年6月15日　第4刷発行
著　者　伊藤《いとう》まさこ
発行者　木俣正剛
発行所　株式会社　文藝春秋
〒102-8008　東京都千代田区紀尾井町3-23
電話　03-3265-1211
印刷所　光邦
製本所　大口製本

万一、落丁乱丁の場合は送料小社負担でお取り替えいたします。
小社製作部宛、お送りください。定価はカバーに表示してあります。

ISBN　978-4-16-369120-6